Endlich 16!

SO MEISTERST DU SÄMTLICHE LEBENSLAGEN –EIN CLEVERER UND LUSTIGER RATGEBER FÜR COOLE GIRLS

Alina Winkler

1.Auflage
2022

Endlich 16!
So meisterst Du sämtliche Lebenslagen – Ein cleverer und lustiger Ratgeber für coole Girls

Kontakt:
Thomas Stocker
Weingartshofer Str. 1
88214 Ravensburg

Inhalt

Einleitung: Eine aufregende Zeit

Als erstes muss ich dir gratulieren! Herzlichen Glückwunsch! ‚Wozu das denn?', fragst du dich vielleicht. Und tatsächlich meine ich nicht nur die Tatsache, dass du gerade Geburtstag gehabt haben und 16 geworden sein musst, sondern noch etwas ganz Anderes. Du bist einer dieser ganz außergewöhnlichen Mädels, die in der Lage sind, ihren Kopf aus dem Smartphone zu ziehen und ein Buch zur Hand zu nehmen. Zugegeben: Vielleicht liest du diesen Text auch gerade über ein E-Book oder eben doch auf dem Smartphone - dennoch beschäftigst du dich in diesem Moment mit etwas anderem als WhatsApp, Gaming, Tinder oder Tweets. Und damit zählst du doch schon fast zu einer ausgestorbenen Spezies, meinst du nicht?

Spaß beiseite. Keineswegs möchte ich Teenager der heutigen Zeit als techniksüchtige Roboter abtun. Dennoch wird es dich – wenn du dich einmal genauer unter Gleichaltrigen umsiehst – sicher nicht überraschen, dass dein Smartphone in diesem Ratgeber ein Thema sein wird. Aber natürlich sollst du auch sehr viel mehr erfahren. Du wirst wissen, was sich von nun an alles in deinem Leben ändert. Du wirst etwas über deine neuen Rechte, aber auch über deine neue Verantwortung erfahren. Du kannst etwas über die Beziehungen lesen, die in deinem Leben eine Rolle spielen – sei es die Beziehung zu deinen Eltern, deinen Freunden oder einem möglichen Lebenspartner. Vielleicht bereitest du dich gerade auf den Schulabschluss vor und stehst nun vor der schweren Frage, was du mit deinem Leben anfangen möchtest und wo die Reise hingehen soll. In deinem Alter kommen Fragen auf, die relevanter sind als die, die du dir bisher gestellt hast. Ich möchte dir mit diesem lustigen Buch einige Tipps und Tricks mit auf den Weg geben, die dich durch diese außergewöhnliche Lebensphase bringen werden.

Wie in meinem Ratgeber für 14-Jährige wirst du in jedem Kapitel ein kurzes Beispiel zur entsprechenden Thematik lesen und anschließend die „harten Fakten" (die manchmal aber auch butterweich sein werden). Am Ende jedes Kapitels wirst du deinen eigenen

„Tipps- und Tricks-Bereich" finden, der dir konkrete Ideen und Hilfestellungen für mögliche Problematiken geben wird.

Jetzt wünsche ich dir erst einmal viel Freude beim Lesen und Tipps durchstöbern!

Kapitel 1

Große und kleine Veränderungen – Welche Rechte ich habe und was nun in meiner Verantwortung liegt

„Hanna, komm mal mit", meint Emilia und lacht ihre Freundin an. Natürlich weiß Hanna ganz genau, worum es geht. Schließlich wird man nur ein einziges Mal in seinem Leben 16 Jahre alt und bei Hanna ist es nun einmal heute so weit. Sie geht schwer davon aus, dass ihre beste Freundin noch eine Überraschung geplant hat. Schließlich hatte Hanna vor zwei Wochen als Emilia 16 wurde, auch eine super Party geplant. Und jetzt sind beide Mädels 16 – und das ist schon ziemlich cool.

Als Hanna und Emilia um die Ecke biegen, springen einige Mädchen aus mehreren Büschen hervor. „Überraschung!", brüllen sie und halten Hanna eine

Einladung unter die Nase. „Nanu?“, fragt das Mädchen „Müsste ich nicht eigentlich euch einladen?“ Doch Emilia lacht schon leise vor sich hin. „Eigentlich schon“, meint sie. „Aber wir haben dich ja extra gebeten, deinen Geburtstag nicht zu planen. Da du die Letzte bist, die von uns 16 geworden ist, haben wir beschlossen, dass wir heute Abend feiern gehen.“ Hanna jubelt auf. Natürlich hat sie sich auch schon länger gewünscht, mit den Mädels tanzen zu gehen. Aber ohne Perso war da nichts zu machen.

Als Hanna nach der Schule nach Hause kommt, verkündet sie ihrer Mutter natürlich sofort die frohe Botschaft. „Heute Abend gehe ich so richtig feiern“, sagt sie, doch ihre Mutter schaut sie nur verständnislos an. „Ich dachte, wir wollten heute Abend mit deinen Großeltern Abendessen, um deinen Geburtstag zu feiern“, meint sie und stemmt die Hände in die Seiten. Hanna verdreht die Augen. „Das machen wir ja auch vorher noch“, meint sie. „Wir gehen doch sowieso erst spät tanzen.“ Nun ist es ihre Mutter, die die Augen verdreht. „Dir ist aber schon bewusst, dass du um Mitternacht zu Hause bist, junge Dame?“ Hanna lacht leise in sich hinein. Natürlich würde sie jetzt niemals widersprechen, aber sie weiß ja, dass man – wenn man erst einmal drinnen ist – nicht so einfach aus der Disko rausgeworfen wird. Sie und die Mädels haben sich für um 22.00 Uhr verabredet. Dann werden sie erst einmal eine Runde vorglühen. „Wer will schon nüchtern tanzen gehen?“, hatte Emilia sie heute

Morgen gefragt und dabei gelacht. Hanna geht davon aus, dass sie vor halb 12 gar nicht bei der Party auftauchen werden. Und wenn dann um 24 Uhr angesagt wird, dass die 16-Jährigen nun den Raum verlassen müssen, werden sie und die Mädels so tun, als hätten sie nichts gehört.

Als es Abend ist, macht Hanna sich fröhlich auf den Weg zu den Mädels. Alles läuft wie geschmiert. Als sie um halb 12 bei der Disko ankommen, ist ihr schon wohlig warm. Sie hat heute mehr Alkohol getrunken als bisher und ist dadurch sehr viel lockerer als sonst. „Perso?", fragt der Türsteher und das Mädchen zückt lächelnd ihren nigelnagelneuen Ausweis. „Bitte sehr", flötet sie gut gelaunt und hakt sich bei Emilie ein als sie die Disko mit der laut dröhnenden Musik betritt. „Das wird geil!", ruft Hanna gegen die Musik an und will sofort auf die Tanzfläche rennen. „Ey," meint Emilie da und hält ihre Freundin zurück. „Da ist doch noch gar nichts los. Ist doch uncool, als erstes auf der Tanzfläche zu stehen." Auch die anderen Mädels, die mitgekommen sind, nicken bestätigend. So zieht sich das Grüppchen erst einmal an einen kleinen Tisch in der Ecke zurück und trinkt Mischer. „Guck mal", meint Hanna einige Minuten später als ihr die Flüssigkeit warm im Hals herunterläuft. „Der sieht heiß aus." Damit deutet sie mit dem Kopf auf einen etwa gleichaltrigen Jugendlichen, der einige Tische weiter entfernt steht. Die Mädchen schwärmen ein Weilchen vor sich hin und holen sich noch etwas zu Trinken.

Als es eine Stunde später voller auf der Tanzfläche wird, macht sich die Geburtstagsgruppe auch auf den Weg ins Getümmel. Sie kreisen die Hüften und fühlen sich so richtig wohl in ihrer Haut. Gerade Hanna hat das Gefühl, richtig erwachsen zu sein. Sie lächelt einigen Jugendlichen zu und tanzt sie an. So locker hat sie sich noch nie gefühlt. „16 zu sein ist geil!", sagt sie lachend zu Emilie und die steigt in ihr Lachen mit ein.

Als Hanna einige Stunden später im Polizeiauto nach Hause gefahren wird, fühlt sie sich plötzlich gar nicht mehr so erwachsen. „Sind Sie betrunken?", hatte der Polizist sie und die anderen Mädchen auf der Straße angesprochen als sie viel zu spät aus der Disko gewankt kamen. Hanna musste losprusten. „Jawoll", hatte sie geantwortet und vor dem Polizisten salutiert. „Aber das müssen sie verstehen", hatte sie gelallt. „Ich bin jetzt fast erwachsen und das mussten wir doch feiern". Der Polizist hatte wissend genickt und gemeint: „Feiern ist ja okay. Aber erwachsen sein bedeutet etwas anderes. Ihr seid alle zu jung, um zu dieser Uhrzeit unterwegs zu sein – noch dazu betrunken. Ich fahre euch nach Hause und rede mit euren Eltern."

Hanna erinnert sich schon jetzt nur noch dunkel an die Worte des Polizisten. Sie ist die Letzte, die nach Hause gebracht wird und der Polizist meint irgendetwas von Verantwortung und der Bedeutung des Erwachsenwerdens. Doch Hanna hört nur mit halbem

Ohr zu. Sie weiß, dass es gleich Krach mit ihrer Mutter geben wird und noch dazu ist ihr furchtbar schlecht. Sie findet es albern, dass der Polizist sie mitgenommen hat und findet sowieso, dass niemand das Recht hat, zu bestimmen, wann sie zu Hause sein müsste. Schließlich ist sie längst kein Kind mehr, nicht wahr?

Deine neuen Möglichkeiten und dein aktueller Verantwortungsbereich

Hanna hat natürlich nicht Unrecht, ihre neugewonnenen Freiheiten auskosten zu wollen. Wenn man endlich ganz neue Möglichkeiten hat, möchte man diese doch am liebsten sofort austesten, nicht wahr? Leider passiert ihr dabei jedoch sofort ein Fehler, der vielen Mädchen in ihrem Alter passiert. Sie handelt nicht wie eine junge Erwachsene, sondern eher wie ein Kleinkind, das gerade gelernt hat zu laufen, prompt losrennt, weil es meint, es könne jetzt einfach alles und dann auf die Nase fällt. Hanna weiß natürlich ganz genau, dass sie nur bis 24 Uhr hätte draußen sein dürfen - schließlich hatte ihre Mutter sie extra noch darauf hingewiesen. Dennoch hat sie sich darüber hinweggesetzt, weil sie sich jetzt für erwachsen gehalten hat. Und das ist doch eher kleinkindliches Verhalten.

Übrigens: Hätte Hannas Mutter darauf bestanden, dass das Mädchen um 23.00 Uhr zuhause sein muss, dann hätte dieses Vorrang vor dem Gesetz gehabt.

Denn bis zu deinem 18. Geburtstag haben deine Eltern das Recht, darüber zu bestimmen, wann du nach Hause kommen musst (Klingt unfair? Ist aber so).

Ich möchte dir jetzt deinen neuen Rahmenbereich mit deinen neuen Möglichkeiten und Grenzen zeigen, die du mit 16 hast. Natürlich weißt du, dass du ab sofort einen Personalausweis besitzen kannst. Gleichzeitig hast du aber auch die Pflicht, diesen bei dir zu tragen, um dich im Ernstfall ausweisen zu können. Das ist vermutlich keine große Bürde, denn in der Regel freuen sich 16-Jährige ja darauf, sich ausweisen zu können, nicht wahr?

Wusstest du, dass du in deinem Alter heiraten dürftest? Das ist zwar sehr ungewöhnlich und nicht ohne Weiteres möglich, dennoch ist es etwas, was du bis zu deinem Geburtstag nicht hättest tun dürfen. Mit 16 dürftest du heiraten, wenn deine Eltern einverstanden sind und wenn dein Partner mindestens 18 Jahre alt ist – ein völlig neues Recht, welches jedoch viel seltener in Anspruch genommen wird als das Recht, bis spätabends auszugehen oder Alkohol zu kaufen.

Auch das ist neu und dir mit großer Wahrscheinlichkeit bewusst. Leichte alkoholische Getränke wie Bier, Sekt und Wein darfst du ab sofort kaufen und trinken. „Harte" Getränke wie zum Beispiel Schnaps sind weiterhin für dich verboten. Leider hat es sich in der heutigen Gesellschaft etabliert, dass bereits Jugendliche in deinem Alter ebensolche Getränke kaufen und auch trinken – verboten ist und bleibt es dennoch. Und vergiss nicht: In deinem Alter machst du dich strafbar, wenn du dich über solche Gesetze hinwegsetzt. Auch hier gibt es eine neue Entwicklung für dich. Es wird erwartet, dass du als 16-Jährige bereits reif genug bist, um Recht und Unrecht zu unterscheiden. Zwar gilt in deinem Alter noch immer das Jugendstrafrecht, dennoch sind zwischenzeitlich härtere Strafen zu erwarten, solltest du gegen das Gesetz verstoßen – jemand, der sich schon sehr erwachsen fühlt, muss eben davon ausgehen, dass er auch im Ernstfall ähnlich behandelt wird. Auch bist du jetzt in einem Alter, in dem du vor Gericht als Zeugin geladen und möglicherweise vereidigt werden könntest, weil von dir erwartet wird, dass du weißt, dass Lügen vor Gericht verboten ist. Solltest du es dennoch unter Eid tun, würdest auch du eine Strafe erhalten.

Wie du sicher weißt, darfst du mit 16 verschiedene Führerscheine machen. Hierzu gehören zum Beispiel Führerscheine für landwirtschaftliche Maschinen, Kleinkrafträder oder (mit 16,5 Jahren) für Autos, wenn du ab 17 begleitet fahren möchtest. Aber was bedeutet das? Natürlich hast du durch die Möglichkeit, Fahrzeuge zu führen, ganz andere Freiheiten. Du kannst alleine, unabhängig von öffentlichen Verkehrsmitteln, von A nach B kommen und im besten Fall auch wieder zurück.

Mit Erlaubnis deiner Eltern darfst du dir ab sofort Tattoos oder Piercings stechen lassen. Hier wird es den

Eltern überlassen, die Reife ihres Kindes abzuschätzen. Vielleicht gehörst du zu den Heranwachsenden, die sehr gerne ein glitzerndes Piercing oder aber ein buntes Tattoo auf der Haut tragen würden, deren Eltern aber so „uncool" sind und diesen Wunsch einfach nicht verstehen könnten. In diesem Fall musst du dich leider noch etwas gedulden, denn das letzte Wort haben in diesem Fall deine Eltern.

Ab sofort darfst du ganz offiziell die Pille nehmen. Vielleicht ist das bei dir bereits geschehen. Das wäre dann ebenfalls rechtens, denn bis zu deinem 16. Geburtstag war es die Entscheidung deines Arztes, ob er dich reif genug für die Pille hält. Mit 16 liegt diese Entscheidung jedoch uneingeschränkt bei dir.

Abschließend stehen dir natürlich auch ab jetzt alle Filme und Spiele zur Verfügung, die die Altersfreigabe „16" tragen. Viele Jugendliche nehmen es mit solchen Angaben leider nicht besonders ernst, sodass auch du dich möglicherweise ohnehin schon darüber hinweggesetzt hast. Rechtlich gesehen ist dieses jedoch falsch, denn solche Angaben zählen zum Jugendschutz und sind dafür da, Jugendlichen nur Zugang zu Dingen zu geben, die sie auch sehen sollten.

Mein „Tipps – und Tricks – Bereich"

Die meisten neuen Möglichkeiten waren dir vermutlich ohnehin bekannt, richtig? Schließlich sind wir in der

Regel sehr gut darüber informiert, wenn wir plötzlich mehr Freiheiten haben als noch am Tag zuvor. Das ist völlig verständlich. Dennoch möchte ich dich bitten, auch die damit einhergehende Verantwortung zu sehen. Lass uns das Beispiel mit dem Führerschein nehmen. Nehmen wir an, du machst einen Führerschein für ein Kleinkraftrad. Für dich fühlt es an wie eine riesige neue Freiheit. Andererseits bedeutet es aber auch, dass dir von nun an zugetraut wird, dich an die Grenzen zu halten, die mit dieser neuen Freiheit einhergehen. Du wirst dich nicht ohne Konsequenzen über Geschwindigkeitsbegrenzungen, Stoppschilder oder rote Ampeln hinwegsetzen können. Im besten Fall drohen dir Geldstrafen oder Führerscheinentzug, im schlimmsten Fall bezahlt man solche Fehltritte mit dem Leben.

Mache dir bitte klar, dass die langsame Verschiebung der Grenzen gleichzeitig mit deiner eigenen Verantwortung einhergeht. Wenn dir plötzlich erlaubt wird, länger auf der Straße zu bleiben, dann nur in dem Vertrauen, dass du in der Lage bist, diese neue Grenze nicht zu überschreiten. Du bist auf dem Weg, erwachsen zu werden und erwartest, dass du nicht mehr wie ein Kind behandelt wirst. Das setzt aber auch voraus, dass du dich nicht wie ein solches benimmst. Sei kein Kleinkind, welches seine neuen Möglichkeiten erkennt und sich deshalb so sehr überschätzt, dass es sicher in die Hose geht.

Mein Tipp für dich: Genieße die neuen Freiheiten, die du hast, denn du hast sie dir verdient. Du hast das Recht darauf, dich zu entwickeln und Fehler zu machen. Du hast das Recht, dich mehr und mehr von deinen Eltern zu lösen, eigene Entscheidungen zu treffen und Verantwortung für dein Leben zu tragen. Aber genau hierauf kommt es an: Verantwortung. Du bist in einem Alter, in dem du weißt, was du tust und ob dieses richtig oder falsch ist. Ich möchte dir unterstellen, dass dir – wenn du Wodka oder Whisky trinkst – bewusst ist, dass dieses verboten ist und du diese Grenze überschreitest. Von klein auf hast du jedoch gelernt, dass falsches Verhalten Konsequenzen nach sich ziehen könnte – auf welche du dich in einem solchen Moment bewusst einlässt. Orientiere dich bei der Frage nach deinen neuen Rechten am besten an folgenden Punkten:

1. Ist das, was du gerade vorhast tatsächlich erlaubt? Falls ja: Freue dich, denn du bist jetzt alt genug, um diese neue Freiheit zu genießen. Falls nicht: Sieh es nicht als Strafe, sondern als Schutz. Denn Gesetze, die dir in deinem Alter bestimmte Dinge verbieten, sind dafür da, um dein Wohl zu sichern.

2. Nimm deine neuen Freiheiten mit Verantwortung. Du möchtest erwachsener sein und auch so behandelt werden? Das ist dein gutes Recht – jedoch nur dann, wenn du dich auch entsprechend verhältst. Zum Erwachsenwerden gehört es, sich

auch so zu benehmen und dazu zählt vor allem, dass du deine Grenzen erkennst und dich an diese hältst.

3. Es gibt Grauzonen zwischen dem Gesetz und dem Empfinden deiner Eltern. Dazu zählen die wie bereits aufgezählten Piercings oder auch die Ausgehzeit, die deine Eltern durchaus unterschreiten dürften. Solltet ihr hier auf Differenzen stoßen, ist es die beste Zeit, um zu beweisen, wie erwachsen du zwischenzeitlich bist. Trotz und Bock sollten Vergangenheit sein. Zeige deinen Eltern, dass sie sich auf dich verlassen können. Dann ist es sehr viel wahrscheinlicher, dass sie sehen, wie reif du bereits bist und dir mehr Zugeständnisse machen.

KAPITEL 2

Meine Community oder: Wer mich auf meinem aktuellen Weg begleitet

„Man Mama!", mault Elisabeth, die gerade versucht hat, mucksmäuschenstill das Haus zu verlassen. Natürlich wusste sie, dass ihre Mutter wieder einmal mit der Wahl ihrer Klamotten nicht einverstanden sein würde. „Dieser Rock ist viel zu kurz!", war dann auch prompt der Satz, den sie zu hören bekommen hat, als die unterste Treppenstufe mal wieder zu knarzen begonnen hat. „Ich mag den Rock und außerdem trägt man das heute so", hat das Mädchen versucht, sich aus der Affäre zu ziehen. Aber Elisabeths Mutter lässt nicht locker. „So gehst du nicht aus dem Haus", meint sie und sieht demonstrativ auf ihre Uhr. Natürlich weiß sie, dass ihre Tochter auf keinen Fall zu spät zur Party von Dennis kommen möchte. Er ist immerhin der Coolste überhaupt und laut Elisabeth stehen alle Mädchen auf ihn. Und natürlich weiß das Mädchen, dass ihre Chancen schlechter stehen, je später sie kommt. Das ist der einzige Grund, dass Elisabeth so schnell nachgibt. Normalerweise wäre sie wütend und türenknallend in ihrem Zimmer verschwunden und hätte gewartet, bis ihre Mutter kommt, um zu schauen, ob es nicht doch eine Einigung gibt, mit der beide zufrieden wären. Aber dafür ist dieses Mal einfach keine Zeit. So verschwindet Elisabeth blitzschnell oben in ihrem Zimmer, streift den Rock ab, zieht sich eine hautenge Hose an und rennt die Treppe wieder herunter. Die Haustür ist schneller zu als ihre Mutter ihren Namen rufen kann. So kann das Mädchen dem Stress entgehen, dass die Hose angeblich auch wieder unpassend wäre.

Elisabeth geht so schnell sie kann ohne ins Schwitzen zu kommen. Natürlich möchte sie auf keinen Fall schwitzend auf der Party ankommen, aber zu spät möchte sie eben noch weniger sein. Als sie einige Minuten später an Dennis' Haustür klingelt, ist sie ziemlich aufgeregt. Sie atmet einige Male tief ein und aus und setzt dann ihr lässigstes Lächeln auf. Das tut sie immer, wenn sie nicht genau weiß, wem sie gleich begegnen wird. „Hi Mia", meint sie erleichtert, als ihre beste Freundin ihr die Tür öffnet. „Elisabeth, es wird auch Zeit, dass du kommst. Vanessa schmeißt sich schon jetzt an Dennis ran", fasst Mia die Fakten sofort zusammen. „Verdammt", raunt Elisabeth und ihr Lächeln wird schmaler als es eben noch war. Gegen

Vanessa hat Elisabeth keine Chance, das weiß sie ganz genau. Das würde sie natürlich niemals zugeben - außer vor Mia, mit der sie einfach jedes Geheimnis teilt.

„Mädels!“, hört Elisabeth hinter sich eine Stimme und schon spürt sie einen Arm, der um ihre Schulter gelegt wird. „Hey Sven“, meint sie und kann sich gerade noch davon abhalten, die Augen zu verdrehen. Jeder weiß, dass Sven auf Elisabeth steht. Und irgendwie will es nicht so richtig in seinen Kopf, dass das Mädchen anders empfindet. Demonstrativ versteift sie ihren Rücken, damit er ja nicht denkt, sie würde diese Berührung genießen. Außerdem schaut sie gezielt in Dennis' Richtung und fragt ihre Freundin: „Hat er Vanessa schon geküsst?“ Mia nickt und meint: „Und nicht nur sie. Beim Flaschendrehen vorhin hat er auch noch Emma und Laura geküsst. Ich denke, nachher wird er uns sagen, wer von ihnen die Beste war.“ Nun muss Elisabeth doch die Augen verdrehen. Wie kann es sein, dass Dennis auf jeder Party andere Mädels küsst, sie aber das Gefühl hat, niemals eine Chance bei ihm zu haben? „Meine Mutter ist schuld“, sagt sie wütend und ignoriert weiterhin Sven, der noch immer an ihrer Seite steht. „Ich hatte einen so geilen Rock, aber sie hat sie mir verboten. Ehrlich Mia, der Rock war so kurz“. Elisabeth zeigt mit ihrem Finger, wie kurz das Exemplar tatsächlich war. „Ich finde, du braucht gar keinen so kurzen Rock, um schön auszusehen“, meint Sven leise und wird ein wenig rot. ‚Nanu‘, denkt Elisabeth, ‚So eingeschüchtert kenne ich ihn ja gar nicht'. Und in dem Moment hat sie eine Idee. „Meinst du nicht?", fragt sie und lächelt Sven aufreizend zu. Als sie sich an seine Brust schmiegt, wirft sie Mia einen vielsagenden Blick zu. „Das finde ich aber süß von dir", nuschelt sie in Svens Brust und schaut von unten zu ihm hoch. Sie legt ihre Hand in seinen Nacken und zieht seinen Kopf zu sich heran, bevor sie ihm sanft einen Kuss auf den Mund gibt. Sven, der schon so lange auf diese Gelegenheit wartet, zieht das Mädchen zu sich und beginnt, sie ausgiebig zu küssen.

„Hol mal Luft, Alter", meint eine Stimme hinter den beiden. „Ich wusste gar nicht, dass du so draufgängerisch bist, Elisabeth", meint Dennis und insgeheim jubelt das Mädchen, weil ihr Plan aufgegangen zu sein scheint. „Darf ich abklatschen?", fragt er Sven und wartet keine Antwort ab. Er greift nach Elisabeths Hand und zieht sie zu sich. „Dann wollen wir mal sehen, ob es sich wirklich so sehr lohnt, dich zu küssen, wie es gerade aussah", sagt er und schon liegen seine Lippen auf ihren. Zuerst freut sich Elisabeth, doch dann wird ihr der Kuss unangenehm. Dennis drückt sie zu fest an sich und seine Hand wandert immer tiefer an ihrem Rücken hinunter. Sie versucht, ‚Stopp' zu sagen, doch sie hört nur, wie Dennis leise in sich hineinlacht. „Sei nicht so prüde, das warst du doch eben auch nicht", meint er leise, während er nicht aufhört, sie zu küssen.

„Dennis, ich muss Elisabeth unbedingt entführen", meint Mia hinter den beiden und endlich lässt er das

Mädchen los. Mia nimmt ihre Freundin an die Hand und beide verschwinden aus dem Haus. Mias Hand wandert an Elisabeths Rücken auf und ab, noch bevor das Mädchen zu weinen beginnt. „Er hat mich einfach nicht losgelassen", schnieft Elisabeth und Mia nickt. „Ich habe es gesehen. Deshalb bin ich gekommen, um dich zu holen". Mia nimmt ihre Freundin in die Arme, als sich erneut die Haustür öffnet. Sven umschließt beide Mädchen. Er wirft Elisabeth nicht vor, ihn ausgenutzt zu haben, er ist einfach da. „Danke", murmelt Elisabeth in dem Wissen, dass sie ab dem Moment, in dem sie das Haus verlassen hat bis zu dem Moment, in dem sie versucht hat, die Aufmerksamkeit von Dennis zu gewinnen, falsche Prioritäten gesetzt hat.

Meine Familie: Auf „Kriegsfüßen" oder „Hand in Hand"?

Mia empfindet das Eingreifen ihrer Mutter in ihre Privatsphäre als völlig überzogen. Das macht sie gleich in mehreren Punkten deutlich. Zuerst motzt sie sie an, dann rennt sie ohne ein Wort des Verständnisses die Treppe hoch und verlässt das Haus, noch bevor sie ihr neues Outfit zeigt. Bei ihrer Freundin meint sie dann auch noch, dass ihre Mutter schuld sei, weil sie ihr nicht erlaubt hätte, den schönen kurzen Rock zu tragen. Es ist durchaus verständlich, dass ein jugendliches Mädchen wie auch du eines bist, alleine

Entscheidungen treffen möchte. Ob du es glaubst oder nicht, auch deine Mutter ist sich bewusst darüber, dass du genervt bist, wenn du das Gefühl bekommst, dass deine Entscheidungen in Frage gestellt werden. Natürlich gilt das ebenso für deinen Vater - doch häufig geraten eher die Mütter und Töchter aneinander. Wie siehst du es, wenn du Elisabeths Geschichte liest? Findest du auch, dass ihre Mutter zu weit gegangen ist? Oder bist du der Meinung, dass es ihr gutes Recht war, ihrer Tochter einen sehr knappen Rock zu verbieten?

Um zu verstehen, stelle dir bitte einmal folgende Frage: Denkst du, deine Mutter ist perfekt beziehungsweise war schon immer perfekt? Ich sehe förmlich, wie du mit dem Kopf schüttelnd dasitzt. Mal ehrlich: Dass deine Mutter perfekt ist, würdest du vermutlich niemals behaupten oder? Und natürlich hast du damit völlig recht. Das bedeutet aber ebenso, dass deine Mutter bereits ihre eigenen Fehler gemacht hat. Wie genau sie aussehen, weißt du vielleicht gar nicht - vielleicht sprecht ihr aber auch sehr offen miteinander, was wirklich wünschenswert wäre. Kannst du dir vorstellen, dass deine Mutter dir manchmal Dinge verbietet und dich nicht einmal ärgern möchte? Vielleicht schüttelst du jetzt wieder mit dem Kopf, aber in diesem Fall würdest du dann falsch liegen.

Nimm doch einmal an, du hättest ein geliebtes Haustier - einen Hund, der prima an der Leine geht, aber an der Straße auf die andere Seite rennen würde, nur weil er dort eine schnuckelige Hundedame entdeckt. Würdest du ihn ohne Leine laufen lassen? Mit Sicherheit nicht und das wäre ja auch richtig. Dein Hund würde einen Fehler machen, den er im schlimmsten Fall mit dem Leben bezahlen würde. Das ist jetzt vielleicht nicht vergleichbar mit einem zu kurzen Rock. Denn hier würdest du vielleicht im Höchstfalle frieren, nicht wahr? Falsch! Denn auch, wenn ein kurzer Rock dich eher nicht in Lebensgefahr bringen würde, könnte er dich in Schwierigkeiten bringen. Nehmen wir einmal an, Elisabeth hätte den Rock auf der Party getragen. Sind wir uns einig, dass Dennis möglicherweise noch ganz anders mit ihr umgegangen wäre? Jemand, der so draufgängerisch unterwegs ist, wie der Junge dieser Geschichte, hätte sich mindestens den Klapps auf den Po nicht entgehen lassen. Ob das in Elisabeths Interesse gewesen wäre?

Aber selbst, wenn das nicht passiert wäre, stellt sich die Frage, warum sie unbedingt diesen Rock anziehen wollte. Das wird ziemlich deutlich, als sie zu ihrer Freundin sagt, Dennis hätte sich für sie interessiert, wenn sie den Rock getragen hätte. Elisabeth hat sich eindeutig nicht für das Kleidungsstück entschieden, weil es ihr persönlich gefällt, sondern weil sie sich erhofft hat, dass ein Junge sie darin sexy finden würde. Kannst du dir nun vorstellen, dass Elisabeths Mutter vielleicht einfach nur verhindern wollte, dass ihre Tochter einen Fehler macht? Vielleicht hätte sie sich gewünscht, dass ihre Tochter sich auch ohne diesen kurzen Rock schön findet, vielleicht wollte sie einfach verhindern, dass fremde Männer sie mit Hintergedanken ansehen oder sogar berühren.

Wenn du genervt bist, weil deine Mutter oder deine Eltern dir etwas verbieten oder dich angeblich wie ein Kleinkind behandeln (und die meisten Mädchen deines Alters kommen das ein oder andere Mal in diese Lage), dann versuche doch einfach mal zu hinterfragen, warum sie es tun. Natürlich musst du deine eigenen Fehler machen. Das ist nur gesund und daraus kannst du etwas lernen. Dennoch musst du verstehen, dass deine Eltern am liebsten versuchen würden, dir Leid zu ersparen. Denn du kannst dir sicher sein, dass auch sie in ihrer Jugend unter ihren Fehlern gelitten haben. Und ist es nicht eher ein gutes Gefühl zu wissen, dass da jemand ist, der sich einfach nur wünscht, dass es dir gut geht?

Das wird sicher nicht alle Streitigkeiten und Unstimmigkeiten zwischen euch verhindern. Aber vielleicht hilft es dabei, besser zu Kompromissen zu finden. Nehmen wir an dieser Stelle ein anderes Beispiel. Wenn deine Eltern verlangen, dass du um 23.00 Uhr zuhause bist, obwohl du gesetzlich gesehen doch erst um 24.00 Uhr zuhause sein müsstest, kannst du folgendes tun: Du kannst bocken, dich maulend in dein Zimmer verziehen und die entsprechende Party mit schlechter Laune beginnen. Du könntest auch deine Eltern anlächeln, ihnen versichern, dass du pünktlich zuhause sein wirst, dich dann darüber hinwegsetzen und riskieren, dass die Regeln mit jedem Mal strenger werden. Du könntest aber auch verstehen, dass deine Eltern Gründe für diese Entscheidung haben. Vielleicht machen sie sich Sorgen. Dann biete ihnen doch einfach an, dich zwischendurch einmal zu melden oder bitte sie, dich länger ausgehen zu lassen, wenn du ihnen versicherst, dass Freunde dich nach Hause bringen werden. Vielleicht machen sie sich auch Gedanken darüber, dass du am nächsten Tag früh aufstehen musst. Bitte sie, dich diesen Fehler dennoch machen zu lassen - schließlich kann doch nichts Schlimmeres passieren, als dass du am nächsten Tag übermüdet bist, nicht wahr? Was ich sagen möchte: Mit Verständnis für die Lage, in der deine Eltern sich befinden, wirst du immer weiterkommen als wenn du versuchst, auf Krampf deinen Dickkopf durchzusetzen.

Sei dir bewusst darüber, dass deine Eltern dich lieben und dich nicht leiden sehen möchten. Dann wird es dir leichter fallen zu verstehen, warum sie manche Entscheidungen treffen.

Meine Freunde: „Wohltuende Starkmacher" oder „hinderliche Klötze am Bein"?

Elisabeths Lächeln hat sich verändert in dem Moment, in dem ihre beste Freundin ihr die Tür geöffnet hat. Vom angespannten „unechten" Lächeln wurde es ganz plötzlich erleichtert und herzlich. Mia scheint tatsächlich eine echte Freundin zu sein. Es wird erwähnt, dass die beiden Mädchen sich alles erzählen - dass Elisabeth sogar vor ihrer Freundin zugibt, dass sie sich ihrer Konkurrentin Vanessa unterlegen fühlt. Solche Geheimnisse vertrauen wir in der Regel auch wirklich nur unseren besten Freunden an. Es ist durchaus verständlich, dass Elisabeth Zeit mit ihren Freuden verbringen möchte. Dir geht es da vermutlich ebenso. Dennoch möchte ich das Thema „Freundschaft" noch einmal thematisieren. Nicht selten geraten wir in unserer Jugend nämlich an sogenannte „Freunde", die sich dann als Klötze am Bein herausstellen. Mit „Klotz am Bein" meine ich jetzt keineswegs, dass du vielleicht etwas „Besseres" bist und die Menschen, die da nicht mithalten können wegwirfst. Ich meine Menschen, die sich als deine Freunde bezeichnen, dich aber in Wirklichkeit ausnutzen oder aus den falschen Gründen mit dir befreundet sein wollen. Wenn du an deine Freunde denkst, dann stelle dir bitte einmal folgende Fragen:

1. Würden sie Geheimnisse, die du ihnen anvertraust, für sich behalten oder könnte es doch wichtig sein, mit dem neu erworbenen Wissen im Mittelpunkt zu stehen?

2. Fühlst du dich in ihrem Beisein wie du selbst oder hast du doch eher das Gefühl, dich verstellen zu müssen, damit du ihnen gefällst?

3. Herrscht zwischen euch ein starkes Ungleichgewicht? Ist einer von euch zum Beispiel finanziell deutlich unabhängiger und bezahlt aus diesem Grund fast ausschließlich aufkommende Rechnungen? Oder profitiert der eine sehr stark davon, wenn er mit dem anderen zusammen ist, weil dieser zum Beispiel ein deutlich höheres Ansehen hat und sehr viel beliebter ist?

Verstehe mich nicht falsch. Wenn eine Freundin der anderen etwas spendiert, weil diese es sich sonst nicht leisten kann, ist es nicht generell falsch. Auch ist es normal, dass meistens einer etwas beliebter ist als der andere. Dieses sind keine Gründe, um eine möglicherweise gut funktionierende Freundschaft zu beenden. Wenn du jedoch das Gefühl hast, dass zwischen euch ein Ungleichgewicht herrscht, weil der eine den anderen auszunutzen scheint, dann ist Vorsicht geboten.

In Elisabeths Geschichte gibt es noch einen sehr deutlichen Hinweis darauf, dass Mia eine echte Freundin ist. Zuerst einmal erkennt sie, dass ihre Freundin sich in den Armen von Dennis nicht wohlfühlt. Sie beobachtet die Situation und passt auf das Mädchen auf. Bis zu dem Zeitpunkt hat sie vermutet, dass Elisabeth bei dem Kuss in genau der Situation ist, die sie sich gewünscht hat – und dennoch erkennt sie, dass es sich in diesem Moment anders für das Mädchen anfühlt. Weiterhin sucht sie einen Weg, um ihre Freundin nicht zu blamieren. Sicher hätte Dennis eine Szene gemacht, wenn sie darauf aufmerksam gemacht hätte, dass er zu grob mit Elisabeth umgeht. Diese Situation erspart Mia Elisabeth, indem sie einfach behauptet, sie bräuchte ihre Freundin dringend. Natürlich hätte sie auch sofort aufs Ganze gehen und dem jungen Mann ihre Meinung sagen können, doch das hat sie in dem Wissen nicht getan, dass ihrer Freundin die Situation möglicherweise peinlich sein könnte.

Wusstest du übrigens, dass man echte Freundschaften manchmal daran erkennt, dass der eine den anderen verrät? Das klingt ziemlich widersprüchlich, ist jedoch die Wahrheit. Ihr seid in einem Alter, in dem noch immer ein mächtiger Hormoncocktail in eurem Blut schwimmt. Euer Körper ist noch nicht fertig damit, sich umzustellen und ihr neigt viel eher zu Fehlern als noch vor der allseits bekannten Pubertät. Die Hormone, die euren Körper überschwemmen und die momentan leider noch sehr stark durcheinanderwirbeln, nehmen euch manchmal ein wenig an Rationalität. Das klingt vielleicht ein wenig albern, ist aber wirklich so. Momentan neigt ihr sehr stark zu Fehlentscheidungen, weil ihr manchmal nur schwer die Möglichkeit habt, die Wirklichkeit euren Bedürfnissen vorzuziehen. Wenn du einen Freund an deiner Seite hast, der sich dir in den Weg stellt, weil er denkt, dass du falsch handelst, dann ist das ein riesiger Vertrauensbeweis. Wenn dieser Freund dich sogar im Ernstfall an Lehrer, Eltern o.Ä. „verrät", weil er sich Sorgen um dich macht, dann gibt es kein höheres Gut.

Sicher würde es in so einem Fall zu riesigen Streitigkeiten kommen, denn natürlich hättest du das Gefühl, dass dieser Freund dich bewusst verraten hat. Mache dir in so einem Fall aber bitte eines klar:

Dein Freund musste entscheiden, ob er lieber eure Freundschaft schützen und dich dafür „ins Unglück" laufen lassen soll oder ob er eure Freundschaft gefährdet in dem Wissen, dass du eben keinen riesigen Fehler machst. Er entscheidet sich dann für das Risiko, dich zu verlieren und selbst zu leiden, weil er an erster Stelle möchte, dass es dir gutgeht. Glaube mir, bessere Freunde als solche kann es nicht geben.

Meine erste Schwärmerei: Angenehmes Kribbeln oder toxische Beziehung?

Dass Dennis nicht das Gelbe vom Ei ist, war dir beim Lesen von Elisabeths Geschichte sicher von Anfang an bewusst, nicht wahr? Dennoch ist sie keineswegs das leichtgläubige Mädchen, welches man aus jedem Mädchenschnulzenfilm kennt und welches dem bösen Macho aufsitzt, obwohl der Prinz doch nebenan wartet. Die meisten Mädchen in deinem Alter schwärmen für Jungs, das ist völlig normal und das ist dir mit Sicherheit auch klar. In vielen Fällen ist es jedoch tatsächlich wie in den kitschigen Liebesfilmen, mit denen du dir vielleicht gerne den ein oder anderen Abend versüßt. Jedem Menschen fällt das Laute und Auffällige mehr auf als das Unauffällige. Das sollte jedem logisch erscheinen. So haben es draufgängerische Jugendliche in der Regel leichter, dass ihnen die Mädchen zu Füßen liegen als solche, die sich eher unauffällig im Hintergrund halten. Natürlich bedeutet das nicht automatisch, dass auffällige und laute Jugendliche die „Schlechteren" wären. Dennoch ist bei Dennis doch ziemlich offensichtlich, dass er Mädchen nur zu seinem Spaß benutzt – und das auch schon, bevor er nicht auf das „Stopp" von Elisabeth reagiert.

Natürlich kann und will dir niemand verbieten dennoch für coole „Machos" zu schwärmen und dir vorzustellen, wie es wäre, wenn gerade du das Mädchen wärst, in das sie sich dann eben doch verlieben. Schließlich handelt es sich um Gefühle, die nur sehr schwer zu ändern sind. Und ganz nebenbei: Träumen sollte unbedingt erlaubt bleiben. Doch wann ist Schluss mit solchen Gefühlen? Die Frage ist leicht zu beantworten, aber gar nicht so leicht umzusetzen: Wenn dir solche Art Schwärmerei nicht mehr guttut, solltest du versuchen, herauszukommen. Man nennt Beziehungen, unter denen man leidet „toxisch" – also giftig. Und genauso kann sich eine Schwärmerei, die nicht erwidert wird, auch anfühlen. Elisabeth hat in ihrer Geschichte einen so großen Dämpfer bekommen, dass sie mit großer Wahrscheinlichkeit von dieser Schwärmerei „geheilt" ist. Aber vorher hat sie gleich mehrere Dinge getan, die ihr nicht passiert wären, hätte sie einen klaren Kopf gehabt.

Zum einen hätte sie sicher nicht einen so kurzen Rock ausgesucht, nur um jemandem zu gefallen. Wenn wir niemanden beeindrucken möchten, sind wir nämlich tatsächlich in der Lage, uns zu kleiden, wie es uns selbst gefällt – ist das nicht der Wahnsinn? Sie wäre nicht so sauer auf ihre Mutter gewesen, weil sie sehr viel entspannter zur Party hätte gehen können. Es war ja offensichtlich, dass sie ziemlich aufgeregt war. Aufgeregt und kribbelig zu sein ist natürlich ein schönes Gefühl. Unschön ist es aber immer dann, wenn diese Aufregung gedämpft wird, weil – wie in diesem Fall – der Schwarm gerade mit einer anderen knutscht und weil man dann erfährt, dass das bereits die Dritte des Abends ist. Schwierig ist es auch dann, wenn man sich selbst herabschätzt, weil man das Gefühl hat, dass der Schwarm sich sowieso nur die „heißen Girls" aussucht. All das hat Elisabeth ganz offensichtlich nicht gutgetan. Für die offensichtlichen Gefühle, die Sven für sie hat, war sie überhaupt nicht offen. Stattdessen hat sie seine Gefühle sogar ausgenutzt, um endlich an ihren eigenen Schwarm heranzukommen. So etwas ist natürlich ganz und gar falsch und das war ihr sicher auch bewusst. Der zwanghafte Wunsch, von Dennis Beachtung zu bekommen, hat sie dennoch über diese Grenze gehen lassen – und das ist in der Regel immer ein schlechtes Zeichen. Wenn du das Gefühl hast, dich verstellen zu müssen, besser sein zu wollen als du dich fühlst und sogar die Gefühle anderer missbrauchst, nur um von deinem Schwarm beachtet zu werden, dann kannst du schon vorher davon ausgehen, dass das nicht funktionieren wird.

Dass Sven sich als perfekter Gentleman herausstellt, ist spätestens dann offensichtlich, als Elisabeth draußen weint und er sich trotzdem liebevoll um sie kümmert. Er ist sicher nicht erbaut davon, wie das Mädchen ihn behandelt hat und trotzdem sind ihm ihre Gefühle wichtiger als seine eigene Enttäuschung.

Vielleicht hat man einen Glücksgriff mit den lauten Machos, die ein Mädchen nach dem anderen „abschleppen", aber in den meisten Fällen ist das leider nicht so. Du kannst dir wirklich große Enttäuschungen ersparen, wenn du Prioritäten setzt. Und diese Prioritäten sollen und müssen grundsätzlich dir selbst gelten. Jemand, den du zum Partner haben möchtest, sollte dich unbedingt so wollen, wie du bist! Du solltest niemals das Gefühl haben, dass du es nicht wert bist, dass er gerade dich an seiner Seite haben möchte und niemals solltest du andere verletzen oder dich selbst verleumden, nur um Aufmerksamkeit von IHM zu bekommen. Denn dann kannst du dir fast schon vorher sicher sein, dass eure Beziehung - wenn sie denn überhaupt eine solche werden wird - mit einer großen Enttäuschung enden wird.

Mein „Tipps - und Tricks - Bereich"

Es ist nicht einfach, alles unter einen Hut zu bekommen. Du befindest dich gerade in einem Alter, in dem du gleichzeitig erwachsen werden möchtest, aber es eben noch nicht bist. Du triffst Entscheidungen, die manchmal richtig und manchmal falsch sind. Du lernst aus solchen Fehlern und machst auf der anderen Seite Erfahrungen, die du nicht missen solltest. Deine Prioritäten liegen womöglich gerade auf deinen Freundinnen, deinen Freunden oder deinem Schwarm oder Partner. Du probierst gerade sehr viel Neues aus. Und es ist durchaus verständlich, dass du deine Familie in dieser neuen Welt dabei manchmal als hinderlich erlebst. Das kann daherkommen, dass du sie ja bereits schon dein ganzes Leben kennst. Jetzt, wo du aber offen für Neues sein möchtest, wirkt das Altbekannte vielleicht schlicht und einfach „langweilig". Wenn dich deine Eltern dann noch auf eine mögliche falsche Anordnung deiner Prioritäten aufmerksam machen, werden sie kaum eine Chance haben, bei dir durchzudringen. Bedenke aber bitte, dass sie in einer völlig anderen Lage sind als du. Sie sehen die Fehler, die sie in deinem Alter gemacht haben und wollen dich in den meisten Fällen beschützen. Deine Freunde sind im gleichen Alter wie du und damit ebenso wenig erfahren, im Gegensatz zu euren Eltern. Vielleicht zieht ihr euch gegenseitig in die falsche Richtung und seid euch einig darüber, dass Eltern der wohl schwerste Klotz am Bein sind. Auch das Thema „Zukunft" ist etwas, über das ihr im Moment vielleicht gar nicht nachdenken möchtet. Euch ist ja durchaus bewusst, dass in nicht allzu ferner Zeit Entscheidungen getroffen werden müssen. Dennoch seid ihr euch vielleicht einig, dass „die Alten vergessen haben, wie es ist, jung zu sein". Das wäre aber wirklich sehr schade.

Vergiss nicht: Deine Eltern waren auch in deinem Alter. Aber heute wissen sie einfach mehr (auch, wenn das jetzt vielleicht so gar nicht das ist, was du gerne hören würdest). Sie können abschätzen, dass die Entscheidungen, die du heute triffst, mitunter sehr viel weitreichender sein können als du es dir zum aktuellen Zeitpunkt vorstellen kannst. Natürlich wünschen sie sich für dich eine schöne Zukunft. Sicher wären sie traurig, wenn sie wüssten, dass du jeden Tag viele, viele Stunden hart arbeitest und am Ende dennoch kein Geld zum Leben übrigbleibt oder dass du vielleicht keinen Job findest, weil du in deinem jetzigen Alter nur schwer absehen konntest, wie die Lage in dem Berufsfeld ist, das du anstrebst. Wenn es also mit deinen Eltern mal so richtig stressig ist und du am liebsten sofort mit deinen Freundinnen in eine WG oder aber zu deinem Partner ziehen würdest, dann versuche doch einfach mal, die Medaille umzudrehen und abzuschätzen, ob sich nicht doch ein Kompromiss finden lässt. Eines steht fest: Dich gibt es nur einmal und du kannst dich nicht teilen. Du musst also versuchen, herauszufinden, wo deine Prioritäten liegen, warum sie dort liegen, ob sie möglicherweise noch einmal umplatziert werden sollten und ob es Lösungen gibt, die keine der „Parteien“ (Deine Familie, deine Freunde, dein Partner, du selbst) schlecht wegkommen lassen.

1. Deine Eltern wollen in der Regel das Beste für dich. Auch, wenn du der Meinung bist, dass du alt genug bist, um deine eigenen Fehler zu machen (und

damit hast du ja auch recht), versuche zu verstehen, dass sie mit deinen Fehlentscheidungen und deinen daraus resultierenden Gefühlen mitleiden. In den meisten Fällen wollen sie dich nicht ärgern, sondern dich schützen. Wenn du dir das bewusstmachst, wird es dir leichter fallen, das ein oder andere Verbot zu verstehen oder offener für Lösungswege zu sein, weil du bereit bist, dich auf Kompromisse einzulassen.

2. Deine Eltern und deine Freunde wollen Zeit mit dir verbringen. Das ist völlig normal. Ebenso normal ist es, falls du am liebsten permanent deine Freunde um dich hättest. Versuche zu bedenken, dass es deine Eltern sind, die dich seit Kindesbeinen kennen. Sie kennen deine Macken, deine Fehler und deine Vorzüge besser als irgendjemand sonst. Vielleicht ist es ganz aufschlussreich, wenn du auch ihnen mal wieder die Möglichkeit gibst, an deinem Leben teilzuhaben. Es gibt nichts Schöneres, als wenn man ein vertrauensvolles und verständnisvolles Verhältnis zu seinen Eltern hat.

3. Im Laufe deines Lebens hast du Freundschaften aufgebaut. Es lohnt sich dennoch immer wieder zu überprüfen, ob es sich um echte Freundschaften handelt oder doch eher um solche, bei denen einer von der Freundschaft profitiert. Mache dir mal wieder klar, bei welchem deiner Freunde du dich wirklich wohlfühlst und auf wen du dich tatsächlich verlassen kannst. Bei wem kannst du deine

Meinung sagen ohne Angst haben zu müssen, dafür Missachtung zu erfahren? Wer steht an deiner Seite auch, wenn du Fehler machst und wer versucht dennoch mit allen Mitteln, dich vor deinen eigenen Fehlern zu beschützen? Dieses sind deine echten Freunde. Natürlich kann nicht jeder, der mit dir befreundet ist, ein wirklich echter Freund sein. Manche Bekanntschaften sind recht oberflächlich und können dir trotzdem guttun. Dennoch solltest du dir bewusst darüber sein, dass es ebensolche oberflächlichen Bekanntschaften sind und eben KEINE echten Freundschaften.

4. Schwärmereien sind so lange erlaubt, wie sie dir guttun. Keinesfalls solltest du unter einer Schwärmerei leiden. Das ist natürlich leichter gesagt als getan. Solltest du spüren, dass du dich selbst herabsetzt, nur um deinem Schwarm zu gefallen, dann versuche, die Reißleine zu ziehen. Das kannst du auch ganz bewusst tun, indem du Abstand nimmst und bewusst danach schaust, welche anderen ansprechenden Jugendlichen es gegebenenfalls noch in deinem Umfeld gibt. Natürlich geht es in diesem Fall um Gefühle, die sich nur schwer beeinflussen lassen. Allerdings solltest du dir IMMER dann Mühe geben, dich von einem eventuellen Schwarm loszueisen, wenn du spürst, dass es sich nicht richtig anfühlt.

KAPITEL 3

My one and only Smartphone

„Du und dein Smartphone", hört Steffie ihre Mutter sagen, als sie das Haus betritt. Doch Steffie rollt nur mit den Augen. Sie kann diese alte Leier wirklich nicht mehr hören. „Steffie, leg das Ding weg" hier und „Du bist schon richtig süchtig" dort. Als wenn Steffies Mutter eine Ahnung hätte. Als die in ihrem Alter war, gab es diese coolen Teile ja auch noch nicht – schließlich ist das Lichtjahre her. Ihre Mutter will einfach nicht verstehen, dass ein Smartphone die Verbindung nach außen ist. Es ist Instagram, Twitter, Tinder usw. Das bedeutet gleichermaßen Freunde, Ansehen und Dates. Und das sind doch die wichtigen Themen, nicht wahr? Und überhaupt! Wie viel Zeit mehr würde Steffie vergeuden, wenn sie alleine diese drei Dinge in die Realität bringen würde. Während sie nämlich in 10 Sekunden 10 potenzielle Dates weiterswiped, hätte sie in der Realität für 10 Dates locker 10

Stunden gebraucht. So ein Smartphone ist schon ziemlich zeitsparend, nicht wahr? Und das Ansehen erst. Um die Kilos abzunehmen, die sie für Instagram einfach „wegphotoshopped" bräuchte sie Tage oder Wochen – und dabei sind die Nerven, die es sie und ihre Familie kosten würde noch gar nicht mit einberechnet. Als Letztes wären da natürlich noch ihre Freunde. Steffie hat 4878 Freunde auf Facebook. Mal ganz im Ernst: Wenn sie die alle sehen müsste, hätte sie doch wirklich für gar nichts mehr Zeit.

Aber als sie versucht hat, es ihrer Mutter zu erklären, wollte sie sich einfach nicht überzeugen lassen. „Früher haben wir echte Menschen getroffen", hatte sie gesagt und dabei wissend genickt. Doch auch da liegt sie doch falsch. Schließlich ist es ja nicht so, dass Steffie heute keine echten Menschen mehr sehen würde. In der Schule sieht sie jeden Tag mehr als nur ihre Klasse und am Wochenende geht sie mit ihren Mädels feiern. Wenn man diese „echten" Treffen mit all dem, was sie im Internet anstellt, verbindet, hat sie sicher deutlich mehr Kontakt zu Gleichaltrigen als ihre Mutter es je gehabt hat.

„Kommst du mit ins Kino?", fragt Steffies Schwester Leonie, die gerade ihren Kopf ins Zimmer streckt. Sie ist gerade 18 geworden und es wundert Steffie, dass sie sie immer wieder zu irgendetwas einlädt. ‚Wenn ich eine jüngere Schwester hätte'. Denkt sie immer wieder ‚dann würde ich mich bestimmt nicht freiwillig mit ihr draußen sehen lassen'. Steffie lächelt Leonie also wie fast jedes Mal an und meint: „Hab schon was vor." Und ruckzuck wandert ihr Gesicht wieder hinter das Display, auf welchem sie gerade mit einem ziemlich heißen Typen chattet. „Was machst du heute noch so?", schreibt er gerade und Steffie antwortet: „Chillen. Du?" Steffies Herz schlägt höher, denn sie sieht, dass der Typ am Tippen ist. Sie hofft so sehr, dass er sie einmal zu einem echten Treffen einlädt. Die beiden chatten jetzt schon seit mehreren Wochen und Steffie meint wirklich, dass es langsam mal an der Zeit wäre. „Cool. Ich auch", bleibt jedoch die kurzangebundene Antwort, die das Mädchen erhält. Sie versucht krampfhaft, irgendein Thema zu finden, mit dem sie den Typen in ein Gespräch verwickeln kann. Aber egal, was sie auch macht: Seine Antworten bleiben kurz angebunden.

Abends hört Steffie, wie Leonie lachend nach Hause kommt. Sie hört auch die Stimme eines anderen Mädchens und beide unterhalten sich offenbar über den Film, den sie gesehen haben. Steffie streckt den Kopf aus der Tür und fragt, ob es gut war. Ohne zu fragen treten Leonie und ihre Freundin ein und kriegen sich kaum ein vor Lachen. Sie erzählen eine Szene nach der nächsten und Steffie muss mitlachen – so sehr schwappt die Freude der anderen auf sie über. Am Ende fühlt es sich fast so an, als hätte sie den ganzen Film mitgesehen. „Und weißt du was?", fragt Leonie und schaut Steffie dabei tief in die Augen. „Da waren zwei Typen. Die haben auch mit im Kino gesessen und die ganze Zeit nur auf ihr Smartphone gestarrt. Die haben überhaupt nichts mitbekommen. Dafür wissen wir jetzt, dass sie mit irgendwelchen Mädels geschrieben und sich über sie lustig gemacht haben."

Steffie wird rot. Natürlich ist es mehr als unwahrscheinlich, dass einer davon der Typ war, mit dem sie geschrieben hatte. Dafür gibt es schließlich viel zu viele Jugendliche auf der Welt. Dennoch wird ihr klar, dass sie rein gar nichts über den Typen weiß, mit dem sie selbst seit Wochen schreibt. Im Grunde genommen könnte es sich um jeden Jugendlichen auf der Straße handeln, der ein Smartphone vor Augen hat.

Und noch etwas wird ihr an diesem Abend bewusst. Durch die Beschreibungen ihrer Schwester und deren Freundin weiß sie zwar fast bildlich, was im Film passiert ist - dennoch hätte sie, im Nachhinein betrachtet, heute deutlich mehr erleben können als sie erlebt hat. Es ist ein verlorener Abend, da ist sie sich sicher. Und ebenso sicher ist sie sich, dass sie beim nächsten Mal ernsthaft überlegen wird, wenn ihre Schwester sie fragt, ob sie bei irgendetwas mitmachen möchte.

Vor- und Nachteile moderner Kommunikationswege

Wenn ich dir jetzt sage, dass massive Nutzung von Smartphones eine richtige Sucht ist, dann wirst du antworten, dass das alte Kamellen seien, nicht wahr?

Wenn ich dir mit „Augenkrebs" komme, mit Schlafmangel, Kopfschmerzen und Verspannungen, dann wird es auch nicht besser, richtig? Fakt ist: In der Regel wissen alle Jugendlichen in deinem Alter, dass die starke Nutzung von Smartphones auf die Dauer krank und unzufrieden macht. Wenn du ganz unmittelbar entscheiden müsstest, ob du den Nachmittag am Smartphone verbringst oder in den Freizeitpark gehst, ob du abends lieber auf der Couch Bilder bearbeitest und twitterst oder lieber Party machst, dann wirst du im besten Fall die realen Erlebnisse vorziehen (Achtung: Wenn du dir in diesem Fall eingestehst, dass das Smartphone die bessere Alternative ist, dann ist der Punkt, sich Gedanken zu machen, bereits überschritten). Nehmen wir einmal an, du gehörst zu den Jugendlichen, die trotz intensiver Smartphonenutzung noch immer Erlebnisse der „echten" Welt den digitalen Medien vorzieht – nehmen wir an, du beantwortest die eben gestellten Fragen mit: „NATÜRLICH würde ich eher in den Freizeitpark oder tanzen gehen." Dann bist du jetzt vielleicht stolz darauf, eben nicht zum „Smartphonesuchti" zu zählen. Ich unterstelle dir dann jedoch, dass das so nicht ganz stimmt. Warum? Ganz einfach: In jeder Minute, in der du dein Smartphone vor Augen hast, passiert draußen irgendetwas. Irgendwo treffen sich Menschen und machen etwas Cooles. Irgendwo machen Menschen besondere Erfahrungen, während du diese Zeit vor dem Smartphone verschwitzt. Vielleicht hättest du in dem Moment, in dem du Emil von Tinder weggeswiped hast, deinen „Traumprinzen" auf der Straße getroffen. Vielleicht hättest du einen wundervollen Sonnenuntergang mit deiner besten Freundin erlebt, während du irgendwie mit Photoshop versuchst, das Sonnenlicht in deine Augen zu zaubern, damit das Foto auf Twitter auch wirklich gut wirkt. Verstehe mich bitte nicht falsch: Technik ist dein Alltag und das ist auch generell nichts Schlechtes. Wir haben die Möglichkeit, immer und überall mit unseren Freunden in Verbindung zu sein, wir können uns in wenigen Sekunden neues Wissen aneignen, wenn wir nur unseren Freund Google fragen, ihm ein Foto schicken oder heutzutage auch ein Liedchen vorsingen, wir müssen nie wieder ohne unsere Musik aus dem Haus gehen, wir können uns an alles erinnern lassen und brauchen uns keine einzige Telefonnummer mehr zu merken. Wir sind vernetzter als wir es jemals waren – vielleicht sogar weltweit. Technische Fortschritte haben enorm viele Vorteile. Gerade in der Homeschooling-Zeit und dem Social Distancing, dem wir vor allem zu Beginn der Coronapandemie unterlegen waren, hat sich umso mehr gezeigt, wie wichtig digitale Vernetzungen sein können. War das nicht ein großartiger Rückschlag an deine Eltern? Ich stelle mir das so vor: „Siehste, jetzt stell dir mal vor, ich hätte auf dich gehört und mich weniger mit meinem Smartphone beschäftigt. Wäre es nicht doof, wenn ich jetzt am Unterricht deswegen nicht teilnehmen könnte? Ich habe es dir doch schon immer gesagt."

Natürlich ist es auch so, dass wir in nahezu jedem Umfeld vorgelebt bekommen, wie sehr das Smartphone gebraucht wird. Ich behaupte, ausschließlich die älteste Generation ist von diesem „Fieber" noch befreit. Es sind längst nicht mehr nur die Jugendlichen, die häufig wie gebannt vor den Bildschirmen kleben. Facebook ist im Grunde genommen schon eher eine veraltete Nummer, richtig? Die Technik schreitet unendlich schnell voran und wir haben die Möglichkeit mitzuziehen – oder eben nicht. Natürlich wird das in diesem Fall dann auch eine Form von Gruppenzwang. Du willst doch mitreden über die neuesten Produkte, die die sexy Influencerinnen so vorstellen, richtig? Auf ein „Hast du schon gehört..." mit „Nein" zu antworten ist aber auch verdammt uncool.

Der nächste Satz wird dich sicher erfreuen: Ich verstehe, wie wichtig dir dein Smartphone und deine Social-Media-Kanäle sind. Lass das erstmal sacken und ließ es gerne noch ein zweites Mal. Wenn du magst, darfst du diesen Satz auch gerne mit einem Marker bunt hervorheben, ausschneiden, an die Wand kleben oder deinen Eltern unter die Nase reiben: „Endlich jemand, der wirklich weiß, was ich fühle!"

Das „Aber" muss dennoch folgen (und ich bitte dich inständig, jetzt trotzdem weiterzulesen und nicht vor lauter Frust das Buch in die Ecke zu werfen).

Also: Ich verstehe, wie wichtig dir dein Smartphone und deine Social-Media-Kanäle sind. Sie helfen dir, up to date zu bleiben, du kannst zu jederzeit Kontakt zu jedem aufnehmen und dich berieseln lassen, so viel du magst. Aber das wirkliche und echte Leben ist nun einmal dreidimensional. Es findet sich auf keinem Bildschirm, sondern in der Welt, die um dich herum vorbeizieht, während deine Augen auf dem Smartphone kleben. Niemand verlangt von dir, dass du lange Zeit auf dein Smartphone verzichtest. Aber wie wäre es denn, wenn du nicht einfach nur abwartest, bis dich jemand fragt, ob du in einen Freizeitpark gehen oder zum Tanzen möchtest? Wie wäre es, wenn du selbst aktiv wirst und versucht, in der realen Welt Dinge zu finden, die dir Spaß machen? Wenn du das eine Weile ausprobierst, dann wirst du sicher schnell merken, dass die Welt um dich herum viel mehr zu bieten hat als du auf dem Schirm hattest. Du wirst spüren, dass du öfter als du denkst, das Gefühl haben wirst, dein Smartphone lieber in der Tasche zu lassen, um den tatsächlichen Moment nicht zu verpassen. Nicht zuletzt wirst du diejenige sein, die bei einem richtigen Date im Café über die anderen lacht, die sich zwar gegenübersitzen, aber zu keinem Gespräch kommen, weil ihre Blicke auf dem Display vor ihnen versteinern.

Mein „Tipps - und Tricks - Bereich"

Ich möchte dich um Folgendes bitten (Ja, ich weiß, dir schwant schon Böses): Bitte triff dich einmal für einen Nachmittag mit einer Freundin und (du ahnst es bereits), lasse das Smartphone zuhause. Wenn du jetzt denkst: ‚Niemals!', dann ist das umso mehr ein Grund, es auszuprobieren, denn dann zeigt es schon, dass deine Prioritäten in eine wirklich fesselnde Richtung verschoben sind. Und „fesselnd" meine ich wörtlich, denn auch, wenn du das Gefühl haben solltest, dass dein Smartphone dir Freiheiten verschafft und du dadurch so viele Möglichkeiten bekommst, kippt das schnell in eine unangenehme Richtung. Wenn du also wirklich das Gefühl hast, dass du ohne dein „Ein und Alles" das Haus nicht mehr verlassen kannst, dann hat es dich schon ziemlich arg in seinen Bann gezogen. Ich bitte dich also nochmal, diesen Test durchzuführen. Sobald du die Haustür verlässt, führe eine Strichliste. Das kannst du tatsächlich mit Stift und Papier tun (Ohja, das sind die „Notes" des Alltags) oder aber in deinem Kopf (herrje, ob der Rechner noch so groß ist?). Notiere dir jedes einzelne Mal, wo du denkst: ‚Ich schau schnell bei Google' oder ‚Von dem Kaffee brauche ich ein Foto' oder ‚Das poste ich schnell bei Insta'. Kurzum: Wann immer du im Begriff bist, dein Smartphone zu zücken, kommt ein Strich auf deine (imaginäre) Strichliste. Wenn du sogar das Gefühl hast, dein Smartphone klingeln zu hören oder vibrieren zu spüren, darfst du gerne zwei Striche machen – denn das sind erste Anzeichen von Suchtverhalten.

Falls du eine durchschnittliche Jugendliche bist, wird dir das deutlich öfter passieren als du jetzt ahnst. Denn unser Smartphone ist in unseren Köpfen so fest verankert, dass sie einen größeren Teil unserer Gedanken einnehmen als wir denken. Zum Vergleich: Wie oft denkst du darüber nach, gesund zu atmen? Ich sehe gerade dein Gesicht vor mir, das mir eindeutig sagt: „Gesund atmen, was soll das denn sein? Ist atmen nicht atmen?" Keineswegs! Wir alle rutschen durch den enormen Stress, dem wir in unserem heutigen Alltag ausgesetzt sind, in eine ungesunde Atmung, die Stressgefühle sogar noch fördert. Das ist elementar wichtig, nimmt aber in unserem Denken keinen Raum ein. Die meisten von uns beschäftigen sich nicht mit dem, was Stress für uns abbaut, sondern erzeugen nur noch mehr Stress durch intensive Nutzung von den uns zur Verfügung stehenden Medien. Und da fragen wir uns noch, ob unsere Prioritäten richtig gesetzt sind? Sicher bist du der Meinung, dass ich auf dem Holzweg bin, weil dich dein Smartphone enorm entspannen würde. Dann bitte ich dich im Gegenzug, dir einmal über einen längeren Zeitraum Yogaeinheiten anzutrainieren – DANN weißt du, was Stressabbau ist.

Wie bereits gesagt: Ich will und kann dir die Nutzung des Smartphones nicht ausreden. Zum einen, weil sie ihre guten Eigenschaften hat, zum anderen, weil sie ein großer Teil deines Alltags ist und zum dritten, weil ich selber gut verstehen kann, dass man im Alltag auch einfach mal „abhängen" und „herumswipen" möchte - völlig unabhängig davon, dass wir dabei rein gar keinen Nutzen haben. Wie wäre es aber, wenn du stattdessen versuchst, bewusster mit deinem eigenen Konsum umzugehen? Der Gang ins Cafe ohne das Smartphone ist dabei ein erster Schritt. Oder schalte es nachts doch einfach mal aus. Mal ehrlich: Wann bist du das letzte Mal in der Nacht angeschrieben worden oder hast auf anderem Wege eine Nachricht bekommen, die nicht bis zum Morgen hätte warten können? Tipp: Es gibt auch Wecker, falls du dir jetzt Gedanken darüber machen solltest, wie du denn dann morgen rechtzeitig zur Schule kommst.

Solche Ruhezeiten sind gut für deine Augen, deinen Geist und ganz allgemein deine Gesundheit. Aber nicht nur das: Sie machen dich frei, denn schließlich bist du in diesen Momenten nicht mehr abhängig von ankommenden Nachrichten, News neuer Follower oder Hetze im Netz. Sie lassen dich besser schlafen, weil du den Strahlen nicht mehr ausgesetzt bist und nicht mehr ständig das Gefühl haben musst zu checken, ob du vielleicht doch gerade etwas Interessantes verpasst. Außerdem ermöglichen sie es dir, endlich wieder umzudenken. Sei doch zur Abwechslung mal wieder offen für das, was in der Welt passiert und was du vielleicht jetzt gerade Cooles tun könntest, anstatt vor dem Display zu hängen. Das wird sicher nicht von heute auf morgen funktionieren. Wie jeder Prozess, der sich über die Jahre in unserem Bewusstsein integriert hat, braucht es lange, um wieder neue Wege des Umdenkens zu finden. Aber das ist es wert! Das glaubst du nicht? Dann tritt den Gegenbeweis an. Probiere es einen Monat aus und sage hinterher, es hätte nichts geändert (Und wenn du jetzt wieder sagst, das käme nicht infrage, dann.... Naja, das weißt du ja selbst).

1. Niemand möchte, dass du dich komplett von deinem Smartphone befreist. Instagram, Tinder, Twitter gehören vermutlich zu deinem Alltag - genauso wie es bei deinen Freunden ist. Wenn dir gesagt wird, du solltest nicht ständig draufschauen, dann ist das nicht gleichzusetzen mit: „Lege für immer und ewig dein Smartphone weg".

2. Warum durch eine Linse schauen, wenn man auch die Realität einfangen kann? Wir können alles in Bildern festhalten - Selfies, Essen, tolle Ereignisse. Ob sie dadurch besser schmecken, sich besser anfühlen oder wir hübscher werden? Fraglich! Wie viele Bilder, die du am Tag so schießt nutzt du tatsächlich und wie viele siehst du dir auch nach Jahren gerne noch an? Wenn du einmal gründlich aussortierst, wird dir auffallen, dass es sich lohnt, einige Dinge einfach nur zu erleben anstatt Bilder davon machen zu müssen.

3. Gönne dir „Smartphone-Ruhezeiten": Wenn du nachts schläfst, verpasst du nichts. Schalte das Smartphone ab, damit es deinen Schlaf nicht durch Strahlen stört und du weniger gereizt bist, doch einen Blick draufzuwerfen. Gehe bewusst ohne das Smartphone aus dem Haus, um den Reflex „Das muss ich festhalten/posten/nachschauen" aus dem Kopf zu bekommen.

4. Suche bewusst nach Alternativen in der realistischen Welt. Du wirst schnell merken, dass ein Smartphone das tatsächliche Leben eben NICHT einfangen kann.

KAPITEL 4

Körperwahn(sinn)

Tatjana ist ein sehr hübsches Mädchen. Wie die meisten 16-Jährigen hat sie ihren eigenen Instaaccount. Sie liebt es, Fotos von ihrem Leben zu machen und es ins Internet zu stellen. Sie liebt es, wenn sich die Anzahl ihrer Follower vergrößert und sie liebt es, wenn die Likes durch die Decke schießen. Es ist klar, dass sie jeden Tag mehrere Bilder schießt - gerne von sich in ganz unterschiedlichen Posen. Sie steht voll auf den Kussmund, weil der ihr Gesicht so schön schmal aussehen lässt und sexy wirkt. Sie weiß genau, in welche Richtung sie sich drehen muss, damit ihr Körper so gut wie möglich zur Geltung kommt. Ihre schmale Taille ist ihr besonders wichtig und wenn sie sich seitlich hinstellt, dabei aber den Po ein wenig von der Kamera wegdreht, sieht sie gleich viel dünner aus.

Nicht dünn genug? Kein Problem! Denn selbstverständlich kann das Mädchen mit wenigen Klicks ihren Body so anpassen, dass es ihr auch wirklich gefällt.

„Tatjana! Tim ist da!", ruft ihre Mutter nach oben als das Mädchen sich gerade die Wimpern tuscht. Aufgeregt sieht sie auf die Uhr. Es ist tatsächlich schon später, als sie gedacht hatte. „Gleich da!", ruft sie und zieht sich mit einem Lipgloss noch einmal schnell die Lippen nach. Als sie den losen Zopf, zu dem sie die Haare am Tag gebunden hatte, öffnet, fallen ihre Haare in sanften Wellen über ihren Rücken. Fertig. Sie lächelt sich im Spiegel zu, zückt das Smartphone, schießt noch schnell ein Selfie mit Kussmund und läuft die Treppe hinunter. „Bin so weit", flötet sie und lächelt Tim breit an. Die Zunge zieht sie dabei hinten an ihre Zähne heran, denn sie hat gelesen, dass das besonders sexy wirken soll. „Wo geht's hin?", fragt sie und gibt Tim einen angehauchten Kuss neben den Mund – schließlich ist der Lipgloss noch ganz frisch. „Überraschung", murmelt der 17-Jährige und dreht sich auf dem Absatz um. Tatjana holt auf, läuft neben Tim her und nimmt ihn bei der Hand. „Ich bin total aufgeregt", gesteht sie, denn schließlich ist es eines ihrer ersten gemeinsamen Dates. Tim grinst Tatjana nur an und geht weiter. Er weiß natürlich ganz genau, wo es hingeht und nach einigen Minuten hat auch Tatjana eine Vermutung.

Und tatsächlich. Als Tim und Tatjana am See ankommen, holt er eine Picknickdecke aus seinem Rucksack und legt sie auf den Boden. „Bitte sehr", lächelt er und Tatjana setzt sich auf die Decke. Tim holt noch zwei Dosen Bier, ein paar Weintrauben und eine Tüte Chips aus dem Rucksack. Tatjana wird es ganz mulmig. Sie greift zwar ein-, zweimal zu, doch dann hat sie einen zu großen Kloß im Hals, als dass sie weiteressen könnte. „Was ist denn?", fragt Tim und streicht dem Mädchen durch die Haare. Doch sie winkt nur ab: „Ich habe heute Mittag schon gegessen", sagt sie und klopft sich auf den Bauch, als wäre sie so satt wie noch nie zuvor.

Nachdem Tim einige Weintrauben und die ganze Tüte Chips alleine gegessen hat, klopft auch er sich auf den Bauch. „Herrlich", meint er, lässt sich auf die Decke sinken, zieht Tatjana mit sich und legt einen Arm um sie. Doch das Mädchen kann sich einfach nicht entspannen. Während sie spürt, dass Tim neben ihr in der Mittagssonne wegdöst, liegt sie wie versteinert neben ihm und fühlt sich ganz und gar unwohl. Sie macht ein schnelles Selfie von sich und Tim am Badesee und schickt es ihrer besten Freundin Mia mit den Worten: „Was soll ich machen?" Kurze Zeit später kommt die Antwort: „Wie viel hast du gegessen?". Tatjana fasst kurz zusammen, dass sie heute bisher nahezu nichts gegessen hat und ihr Bauch deshalb im Bikini nicht heraussstehen würde. „Aber meine Beine!" Diese Nachricht schickt sie mit einem panischen Smiley ab. Natürlich weiß Mia, dass Tatjana enorme Probleme mit ihren Beinen hat. Zwar findet Mia sie durchaus sehr ansehnlich – schließlich sind sie jeden

Tag frisch rasiert, schön schlank und auch ziemlich schnell braun, sobald die Sonne herauskommt. Dennoch graut es Tatjana vor den leichten Dellen, die sie weitaus mehr sieht als es Mia auffallen würde. „Er hat noch gesagt, ich solle einen Bikini mitnehmen", schreibt Tatjana verzweifelt. „Aber ich dachte, wir gehen ins Schwimmbad. Da hätte man meine Beine nicht so sehr gesehen." Doch bevor Mia noch antworten kann, regt sich Tim neben Tatjana und wacht langsam wieder auf. „Was machst du denn?", fragt er und will das Mädchen wieder an sich ziehen. Doch Tatjana ist viel zu aufgewühlt zum Kuscheln. „Ich muss bald los", sagt sie und wirft demonstrativ einen Blick auf ihr Smartphone. Tim setzt sich auf und hakt nach: „Ich dachte, wir gehen noch schwimmen. Du hattest doch gesagt, du hättest den ganzen Tag Zeit." Tatjana winkt ab und lässt sich die Ausrede einfallen, dass ihre Mutter sie dringend zuhause bräuchte. Doch Tim sieht sie mit hochgezogener Augenbraue an und meint: „Ach was. Als wir los sind, hat deine Mutter doch noch ‚bis heute Abend' gerufen. Was ist wirklich los, Tatjana?" Das Mädchen druckst herum. NIEMALS würde sie ihm erzählen, dass sie sich mit ihrer Figur unwohl fühlt. „Na los, sag", neckt Tim sie und knabbert an ihrem Kinn. Tatjana bekommt eine Gänsehaut und fragt sich für einen winzigen Moment, ob sie nicht einfach so schnell im Wasser verschwinden könnte, dass Tim ihre Beine gar nicht zu sehen bekäme. Zu gerne würde sie eine Runde schwimmen – der Tag ist schließlich heiß und ihr würde eine Abkühlung sehr guttun. Aber den Gedanken verwirft sie schnell wieder. Das Risiko möchte sie nicht eingehen. „Ich kann nicht" meint sie deshalb und hält sich den Unterbauch. „Oh", meint Tim und wird rot. „Alles klar, dann gehe ich alleine". Er lässt von ihr ab, streift sich die Hose ab und läuft mit der Badehose ins Wasser.

Tatjana krempelt sich die Hose bis zu den Knien hoch und geht mit den Füßen ins Wasser. Es umspült ihre Füße angenehm kühl und zu gerne würde sie so frei wie Tim im Wasser abtauchen. Als er zu ihr kommt, spritzt er mit den Haaren so wild um sich, dass sie Tropfen abbekommt und zu kichern anfängt. Natürlich klemmt sie dabei wie immer ihre Zunge hinter die Zähne. Denn sie weiß doch schließlich, wie sexy sie so aussieht.

Vom Bedürfniss nach Schönheit zu krankhaften Vorstellungen

Hast du nicht auch das Gefühl, dass Tatjana ein ziemlich hübsches Mädchen sein könnte? Sie scheint lange Haare zu haben, die in Wellen an ihrem Rücken herunterfallen, sie scheint, sich schick zu schminken und offensichtlich sieht sie so ansprechend aus, dass sie diverse Follower hat, die gerne ihre Bilder liken. Denken wir nicht immer, dass gerade solche jugendlichen Mädchen ausgesprochen selbstbewusst sein müssten? Vermutlich vergleichst auch du dich häufig mit anderen Mädchen deines Alters. Wer ist dünner als du, wer hat längere Wimpern oder weiß, sich besser in Szene zu setzen? Kurzum: Wer sieht eigentlich schöner aus als du? In vielen Fällen schneiden wir selbst in unseren Augen bei solchen Vergleichen nicht besonders gut ab. Vor allem, wenn wir uns mit Fotos von jungen Frauen im Internet vergleichen, sind wir häufig hässlicher – so meinen wir zumindest. Natürlich kann man dir noch so oft sagen, dass viele dieser Fotos oder Videos, die du so gerne siehst, im perfekten Licht entstehen. Hautunreinheiten werden retuschiert, das Lächeln sitzt, die Augen haben tolle Lichtreflexe und der Körper sieht bombig aus. Auch weißt du natürlich, dass etliche Bilder nach dem eigentlichen Schuss bei Photoshop deutlich nachgebessert oder sogar vollständig verändert werden. Das hilft dir in deiner Realität jedoch nicht besonders weiter. Denn in deinem Unterbewusstsein ist fest verankert, dass es wunderschöne junge Frauen gibt, die selbstbewusst ins Leben starten und sich von niemandem unterkriegen lassen würden. Selbstbewusst? Hat die schöne Tatjana aus der Geschichte auf dich selbstbewusst gewirkt?

Wann bist du das letzte Mal ungeschminkt aus dem Haus gegangen? Wenn du diese Frage mit einem konkreten Datum beantworten kannst und dieses auch noch kürzer als 6 Monate her ist, dann kannst du von Selbstbewusstsein sprechen. Denn du bist bereit, dein Gesicht zu zeigen, wie es ist ohne das Gefühl zu haben, dich verstecken zu müssen. Wusstest du, dass etliche jugendliche Mädchen ohne Makeup nicht einmal ihr Zimmer verlassen mögen? Selbst in ihrem eigenen Zuhause - dem sichersten Ort der Welt - mögen sie sich nicht zeigen, wie sie sind. Das hat häufig damit zu tun, dass sie sich selbst nicht gefallen. Und das ist doch WIRKLICH schrecklich! Wenn du eine Liste führen würdest, auf der stünde, was du an deinem Aussehen gut und was du schlecht findest, welche Seite würdest du leichter gefüllt bekommen? Wir alle haben Dinge an unserem Körper, die uns wirklich gut gefallen und andere, die uns nicht besonders gefallen. Das ist völlig normal, auch wenn die Außenwelt uns noch so glaubwürdig vermittelt, dass es Frauen und Mädchen gäbe, die perfekt wären und sich auch so empfinden würden.

Doch was, wenn der Wunsch nach Schönheit zum Körperwahn(sinn) wird? Was, wenn du dich nicht mehr im Spiegel ansehen magst, sobald du kein Makeup auflegst? Was, wenn du das Gefühl hast, dich zu verkrampfen, nur damit dein Körper so vorteilhaft wie möglich ist? Was, wenn dein Lächeln deine Augen nicht mehr erreicht, nur weil du versuchst, den Mund genauso zu formen, wie du es vor dem Spiegel geübt hast?

Tatjana aus der Geschichte hat sich eine einleuchtende Notlüge ausgedacht, um dem Risiko zu entgehen, dass Tim ihre vermeintlich hässlichen Beine sehen könnte. Sie hat dabei auf eine 1A Lüge zurückgegriffen, die Tim vermutlich unangenehmer gewesen ist, als wenn er ihre Beine tatsächlich gesehen hätte.

Wie viel Spaß hätte die junge Frau wohl gehabt, wenn sie sich von ihren Sorgen hätte befreien können? Wie wäre der Tag gelaufen, wenn sie einfach ihre Kleidung abgelegt hätte und mit Tim zusammen ins Wasser gerannt wäre? Was denkst du? Hätte das Lächeln dann wohl ihre Augen erreicht?

Körperwahnsinn gibt es auf diversen Ebenen. Manche junge Mädchen finden sich zu dick, andere hätten gerne eine größere Oberweite. Manche Mädchen wünschen sich Locken, andere wiederum glatte Haare. Einigen sind die Wimpern zu kurz, andere mögen ihre Lippenform nicht. Wenn einige junge Frauen die Möglichkeit hätten, ihre Beine zu verstecken, würden sie es tun, andere wiederrum tragen Unterwäsche, die den Bauch und den Po wegdrückt. Und noch andere würden am liebsten in einen völlig fremden Körper hineinschlüpfen.

Was wäre, wenn wir in einer Welt leben würden, in der man uns Natürlichkeit mit Ecken und Kanten vorleben würde? Was würde wohl passieren, wenn es kein Bodyshaming gäbe - schon gar nicht im Internet, wo die Anonymität es so viel leichter macht, andere zu provozieren und kaputtzumachen?

Wie würdest du dich selber sehen, wenn du dir und deinem Körper Schwächen zugestehen dürftest?

Mein „Tipps – und Tricks – Bereich“

Es ist absolut nicht leicht, sich schön zu finden, wie man ist. Wir alle streben nach Perfektion und natürlich würden wir uns wünschen, ohne Abstriche schön zu sein. Es ist auch nichts Falsches daran, sich hübsch zu stylen und Fotos von sich in optimalen Posen zu schießen. Aber das Gefühl, hübsch zu sein, sollte keineswegs aufhören, sobald die Kamera aus ist oder das Gesicht ungeschminkt. Wusstest du, dass es extra Trainings gibt, die uns dabei helfen, selbstbewusst zu sein? Wie wäre es, wenn du gleich jetzt in diesem Moment mit einem solchen Training anfangen würdest? Das Ganze funktioniert so:

Stelle dich mit geschlossenen Augen vor einen Ganzkörperspiegel. Bringe dich so in Pose, dass du denkst, es sei vorteilhaft für dich. Spanne den Bauch an, strecke den Rücken durch und ziehe die Schultern nach hinten. Lächle bereits mit geschlossenen Augen und richte den Kopf auf, damit du auch wirklich gerade stehst. Nun öffne die Augen und schaue dich in den Spiegel. Gerne kannst du dein Aussehen so verändern, dass es perfekt wirkt. Sieh, wie selbstbewusst und sicher du aussiehst. Bleibe einen Moment so stehen und betrachte dich im Spiegel. Schließe dann wieder die Augen und stelle dir dieses Bild noch kurz vor. Gehe vom Spiegel weg und nimm wieder eine normale Körperhaltung ein. Schaue dabei aber NICHT mehr in den Spiegel.

Führe diese Übung gerne mehrmals täglich durch. Vielleicht fragst du dich, was das denn nun bitte bringen soll. Die Antwort darauf ist jedoch kinderleicht: Du machst in dem Moment genau das, was die Medien den ganzen Tag mit dir machen. Du gaukelst dir vor, selbstbewusst und sehr stolz auf dich zu sein. Du meinst, das bringt nichts? Dann schaue dir doch bitte noch einmal mehr die vielen Bilder der Frauen an, die du so hübsch findest. In welchen Posen stehen oder sitzen sie da? Lassen sie die Schultern hängen oder strecken sie den Bauch heraus? Niemals! Sie setzen sich so sehr in Pose wie sie können. Und obwohl du theoretisch weißt, dass auch diese Frauen ihre Makel haben, die entweder gut versteckt sind oder aber kaschiert wurden, hast du das Gefühl, sie wären perfekt. Das Wissen und die Emotionen werden im Gehirn unterschiedlich gesteuert und genau das machst du dir mit deiner neuen Übung zunutze. Je öfter du dich als selbstbewusste junge Frau mit ihren körperlichen Vorzügen siehst, desto leichter wird es dir fallen, mit deinen Makeln klarzukommen.

Falls du noch nicht ganz überzeugt bist, möchte ich noch ein weiteres Beispiel nennen: Adele. Du kennst sie sicher – die korpulente selbstbewusste Sängerin mit der Wahnsinnsstimme. Wann immer man sie angesehen hat, hat sie den Raum für sich eingenommen. Und das keineswegs, weil sie das ein oder andere Kilo zu viel auf den Hüften hatte, sondern einfach, weil sie präsent und stolz war. Dann hat sie viele, viele Kilos verloren – und nicht wenige haben behauptet, dass sie mit den Kilos ihre Ausstrahlung verloren hat.

Du siehst: Perfektionismus steckt nicht alleine im Körper. In erster Linie ist es das, wie wir uns selbst sehen und was wir verkörpern. Lasst uns selbstbewusst und stolz werden und unseren Makeln keine Wichtigkeit mehr zuschreiben. Natürlich darfst du dich weiterhin schminken, hübsch anziehen und so zeigen, wie du dich wohlfühlst. Dennoch gehört alles, was dir vielleicht nicht gefällt, zu deinem Körper. Lass es dich nicht herunterziehen – denn ratzfatz sind die Auswirkungen, die der Makel hat, sehr viel „schlimmer" als der eigentliche Makel selbst.

1. Medien täuschen ein unrealistisches Bild von Schönheit vor. Das ist dir zwar eigentlich klar, dennoch hilft es, wenn du es dir immer und immer wieder bewusst machst: Jede (junge) Frau hat Makel, die sie stören. Das ist völlig normal!

2. Niemals solltest du in Schönheitswahn(sinn) verfallen, denn der macht dich sehr schnell künstlich und unansehnlich.

3. Gehe selbstbewusst ins Leben. Denn das ist sehr viel hübscher als ein verhärmtes Gesicht, welches mit sich selbst hadert. Und wenn das nicht so einfach geht:

4. Führe die beschriebene Übung mehrmals täglich durch. Wir können Selbstbewusstsein aufbauen, indem wir uns immer wieder als selbstbewussten Menschen im Spiegel ansehen. Und dieses Selbstbewusstsein fühlt sich nicht nur gut an, sondern sieht auch noch gut aus!

Kapitel 5

Umbrüche in meinem Leben

Maria ist 16 Jahre alt und denkt schon lange über den „Ernst des Lebens" nach – auch wenn es ihr niemand zutrauen würde. Warum? Maria ist der Klassenclown, wie er in jeder Klasse mindestens einmal sein sollte. Sie ist keineswegs albern oder kindlich, sie ist einfach nur lustig und nie um einen witzigen Spruch verlegen. Jede noch so ernste Situation wird durch sie aufgelockert. Natürlich ist das Mädchen in der Klasse ziemlich beliebt, denn sie ist für jeden Scherz zu haben. Dennoch würde ihr einfach niemand zutrauen, dass hinter ihrer Stirn ein ziemlich ernster Mensch zuhause ist. Sie macht sich um sehr viele Dinge Gedanken, denkt über jeden lustigen Spruch zwei Mal nach, bevor sie ihn bringt. Schließlich möchte sie weder jemanden verletzen, noch ins Fettnäpfchen treten und vor allem muss sie immer kurz einschätzen, ob es wirklich witzig ist oder doch eher zu einem mauen Mitleidslachen führen würde.

„Heute wollen wir uns damit beschäftigen, wie eure Zukunft aussehen soll", meint die Lehrerin Frau Amelung gerade. „Aber doch nicht in der ersten Stunde", gähnt Maria prompt und spürt, dass sich die Klasse auf einen ihrer Witze vorbereitet. „Ne, ernsthaft", meint sie. „Lassen Sie uns lieber nachher in der sechsten sprechen. Dann sind wir nicht nur wacher, sondern die Zukunft ist auch gleich sehr viel kürzer." Grinsend schauen Marias Mitschüler auf die Lehrerin, welche den Mund ebenfalls zu einem Lächeln verzogen hat. Wie bei all ihren Späßen braucht Maria auch hier gar keine großen Lacher, – die entstehen zwar manchmal von ganz allein, weil sie einfach ein „Lustig-Gen" zu haben scheint – aber ihr reicht es wie jetzt auch meistens völlig aus, wenn ihre Mitschüler einmal grinsen.

„Maria", meint Frau Amelung dann und überrascht das Mädchen mit ihrem nächsten Satz. „Ich gehe davon aus, dass du schon längst weißt, was du mit deinem Leben anfangen willst. Tritt doch bitte einmal an die Tafel und lasse uns an deinen Ideen und Vorstellungen von deiner Zukunft teilhaben." Maria wird ganz flau im Bauch – ein Gefühl, was sie überhaupt nicht kennt. Natürlich weiß sie wirklich genau, was sie nach der Schule machen möchte, schließlich denkt sie ja schon so lange über den „Ernst des Lebens" nach.

Aber sie würde niemals vor ihren Mitschülern zugeben, dass es ihr Traum ist, in die Politik zu gehen. Sie kann sich das Gelächter ihrer Mitschüler bereits vorstellen. Die Fragen, ob sie das ganze Parlament unterhalten möchte, kann sie schon in ihren Ohren hören. Aus genau diesem Grund hat sie sich bisher nur sehr unauffällig mit politischen Themen auseinandergesetzt. Sie brennt für den Umwelt- und den Tierschutz und hat ein Wissen darüber, welches so manchen Politiker schon heute in den Schatten stellen würde. Auch neue Technologien, die den Schutz der Umwelt voranbringen könnten, kennt sie ganz genau und hat schon einige Ideen, wie man solche kostengünstig voranbringen könnte. Aber das würde Maria ihrer Klasse niemals sagen.

Sie stellt sich an die Tafel und meint: „Klar weiß ich, was ich werden will". Die Lehrerin und ihre Klasse schauen sie gespannt an und Maria zögert ihre Antwort mit Absicht noch ein wenig hinaus. „Möchtest du es auch mit uns teilen?", fragt Frau Amelung und schaut Maria direkt in die Augen. „Klar", meint sie lapidar. „In meinem Traumberuf teilt man schließlich auch so Einiges." Sie macht noch eine winzige Pause und meint dann: „Ich werde einmal Frauenärztin". Die Klasse lacht schallend auf, doch Frau Amelung bittet zur Ruhe. „Das ist ein spannender Beruf", meint sie und ergänzt: „Bitte lacht über keine Berufsgruppe. Denn wir brauchen jeden einzelnen Beruf, den es gibt, damit unser System gut funktionieren kann." Maria hört, wie Patrick seinem Sitznachbarn Matthias zuraunt: „Außer Politiker. Die braucht kein Mensch." – und spätestens jetzt weiß sie, dass sie sich richtig entschieden hat, niemandem von ihrem eigentlichen Berufswunsch zu erzählen.

„Maria, magst du uns sagen, was dich am Beruf der Frauenärztin so interessiert?", fragt Frau Amelung und lässt das Mädchen nicht vom Haken. „Klar", meint sie: „Das dürften die tiefen Einblicke im beruflichen Umfeld sein". Noch einmal lacht die Klasse schallend auf und die Lehrerin schüttelt kaum merklich den Kopf. Als Maria sich dieses Mal auf ihren Platz setzt, fühlt sie sich nicht besonders wohl.

„Maria?", bittet Frau Amelung das Mädchen nach der Stunde: „Bleibst du noch einmal kurz hier?" Maria wird rot. Sie hatte schon befürchtet, dass ihr letzter Spruch Konsequenzen haben könnte, vor allem, weil Frau Amelung direkt zuvor gebeten hatte, alle Berufsgruppen mit Respekt zu behandeln. „Magst du mir noch etwas über deinen Berufswunsch erzählen?", fragt die Lehrerin als alle Schüler den Raum verlassen haben. „Was soll ich denn darüber erzählen?", fragt sie in dem Wissen, dass Frau Amelung sicher sehr genau weiß, wie es beim Frauenarzt abläuft. „Ich meine über deinen echten Berufswunsch", meint die Lehrerin und schaut Maria tief in die Augen. „Ich weiß, dass du ziemlich witzig und keck bist. Auch, wenn du es heute ein klein wenig zu weit getrieben hast, bist du einfach lustig und magst es, die anderen zu unterhalten. Trotzdem fällt mir doch auf, wie viele Gedanken du im Kopf hast. Ich lese sie in jeder Klassenarbeit, die du schreibst." Maria wird noch roter und bringt kein Wort heraus - und das passiert ihr ziemlich selten. „Du bist nicht umsonst eine so gute Schülerin", meint Frau Amelung und hat ihren Blick noch immer auf Maria fixiert. „Wir Lehrer wissen alle, dass in deinem Kopf ein unglaubliches Wissen steckt. Du bist klug und an so vielen Dingen interessiert. Ich glaube, du weißt schon, was du gerne werden würdest. Ich glaube auch, dass du in diesem Wunsch unterstützt werden solltest. Und ich glaube, dass dein Berufswunsch sich deutlich von dem absetzt, wie deine Mitschüler dich sehen. Kann das vielleicht sein Maria?" Das Mädchen hebt den Blick und überlegt zum allerersten Mal ganz bewusst, ob es vielleicht klug wäre, wenn sie jetzt keinen lustigen Spruch bringen würde. Und nach kurzer Überlegung antwortet sie: „Ich denke auch, dass mein Berufswunsch sich von dem unterscheidet, was meine Mitschüler über mich denken. Mal ehrlich: Wer von denen hätte mich wohl jemals zwischen den Beinen einer Frau gesehen?" Und damit steht sie auf und verlässt den Raum in dem Wissen, dass zum ersten Mal einer ihrer Witze ganz fürchterlich in die Hose gegangen ist.

Vom schulischen Werdegang zur Ausbildungssuche – Wo ich meine Prioritäten setze

Hast du dir schon einmal Gedanken darüber gemacht, welche Rolle du in deiner Klasse einnimmst und wie das deine mögliche Berufswahl beeinflusst? Jeder einzelne von uns übernimmt im Sozialgefüge bewusst oder unbewusst bestimmte Rollen und damit verbundene „Aufgaben". Maria war in der Geschichte der sogenannte Klassenclown, wie ihn die meisten Klassen haben. Sie hatte die Aufgabe, die Klassenkameraden zu unterhalten und Späße zu machen. Es gibt natürlich auch klassischerweise noch Streber, Petzen, Anführer, Sanfte, Coole, Nerds usw. Wir alle verwenden diese Begriffe häufig, ohne und Gedanken darüber zu machen, dass wir anderen damit einen bestimmten Stempel aufdrücken und es nur schwer ist, dort wieder herauszukommen. Aber wie kann sich das auf unsere mögliche Berufswahl auswirken? Ganz einfach: Im sozialen Umgang zeigen wir niemals unser wahres Ich. Menschen versuchen, zu gefallen, das ist völlig normal. Und wenn sie spüren, dass diese Rolle nicht für sie bestimmt ist, ecken sie manchmal ganz bewusst an, damit sie Beachtung bekommen. Natürlich gibt es auch „Kampfhähne", die einfach immer wieder gerne zeigen, für wie mächtig sie sich halten und deshalb ganz bewusst provozieren. Es bleibt jedoch dabei, dass wir nie alles von uns in sozialen Gruppen wie der Schulklasse offenlegen. Das ist völlig natürlich, denn dadurch würden wir uns auch den Menschen gegenüber, denen wir nicht vertrauen, verletzbar machen. Aber was passiert, wenn unsere Rolle sich drastisch von unserem Inneren unterscheidet? Tatsächlich ist es nicht selten so, dass gerade die, die besonders lustig wirken, innerlich eher nachdenklich sind. Die, die wirken als hätten sie die Fäden in der Hand, brauchen zum Teil Kontrolle, weil sie sich ohne dieses Gefühl, hilflos fühlen. Kurzum: Mitunter stimmt das, was wir nach außen hin verkörpern so gar nicht mit uns überein.

Wenn es dann darum geht zu wählen, wie unser Leben weitergehen könnte, fällt es manchen Jugendlichen ganz besonders schwer, zum tatsächlichen Wunsch zu stehen. Natürlich bist du in einer Situation, in der du eine besonders schwere Entscheidung treffen musst. Schließlich wirst du einen großen Teil deines Lebens mit dieser Entscheidung leben müssen. Möchtest du nach der Schule studieren gehen? Einen weiteren Abschluss schaffen? Eine Ausbildung machen? Ein Jahr ins Ausland gehen? Ungelernt erst einmal jobben, um herauszufinden, was überhaupt dein Ding ist? Hartz IV empfangen? Früh Mutter werden und dein Kind großziehen, bevor du über eine berufliche Zukunft nachdenkst? Was ist dein Plan?

Hast du dir tatsächlich schon einmal ganz bewusst die Frage gestellt, was du wirklich einmal werden möchtest (Das „Wenn du groß bist", spare ich mir. Schließlich bist du schon 16, nicht wahr?) Dann ist dir sicherlich auch schon einmal der Gedanke gekommen, was die anderen dazu sagen würden. Was würden deine Eltern sagen, wenn du zugeben würdest, dass du am liebsten Straßenmusiker sein möchtest? Was würden deine Klassenkameraden sagen, wenn dein Herz dich ins Management zieht, du in der Klasse doch aber schon immer eher das unscheinbare Mauerblümchen warst? Was denken deine Lehrer über dich, wenn du in Mathe immer nur eine Drei Minus hast, du aber dennoch Statikerin werden möchtest? Manchmal passen unsere Zukunftswünsche so überhaupt nicht zu dem, wie wir uns bisher gezeigt haben und manchmal haben wir Angst, andere zu enttäuschen, wenn wir unsere wahren Wünsche preisgeben. Damit wird ganz deutlich, dass wir nahezu nicht in der Lage sind, alleine zu entscheiden, was wir möchten. Einige Gedanken werden alleine schon dadurch abgeblockt, dass wir denken, wir würden damit andere Menschen enttäuschen oder verwundern.

Doch was wäre, wenn wir uns von diesen Gedanken völlig frei machen könnten? Was, wenn jemand aus ärmlichen Verhältnissen weiß, dass er das Talent zum Marktleiter hätte und keine Angst hätte, dass er sich dadurch zu sehr von seiner Familie abhebt? Wie wäre es, wenn Kinder reicher Eltern Schauspieler werden wollen in dem Wissen, dass sie damit fürchterlich auf die Nase fallen könnten und dennoch keine Angst hätten, sich vor ihrer Familie zu blamieren? Was wäre, wenn jemand, dessen Eltern erwarten, dass er einmal das Familienunternehmen weiterführt, einen völlig anderen beruflichen Weg einschlagen möchte? Was wäre, wenn Maria sich vor die Klasse gestellt und gesagt hätte, dass sie sich in der Politik am wohlsten fühlen würde?

Sei ehrlich: Wenn du dich völlig frei entscheiden könntest, was du machen möchtest - ganz ohne dir Gedanken darüber machen zu müssen, wie Andere das finden - was würdest du wählen?

Mein „Tipps - und Tricks - Bereich"

Kommen wir einmal zu dir. Wenn du dich fragst, welches dein zukünftiger Weg sein könnte, gibt es eine ganz wesentliche Frage, die du dir stellen solltest: Welche Möglichkeiten habe ich überhaupt? Durch den beschriebenen Prozess, dass wir uns nur zusammen mit unserer sozialen Umgebung betrachten und möglichst wenig „anecken" möchten, fallen ganz unterbewusst viele Berufsgruppen schon hinten runter. Vielleicht hast du als Kind schon den ein oder anderen Traum geäußert und direkt wieder verworfen. Das kann passieren, weil es tatsächlich Kinderträume sind und wir aus ihnen „herauswachsen" - Ich wollte als Kind zum Beispiel immer „Feuerwehr" werden und es hat eine Weile gedauert bis mir zum einen klarwurde, dass man sich nicht einfach in ein Gebäude verwandeln kann und ich zum anderen festgestellt habe, dass ich nicht nur nicht besonders sportlich, sondern auch nicht mutig genug bin, um in ein brennendes Haus zu rennen. Unsere kindlichen Wünsche legen wir allerdings auch manchmal einfach nur dadurch ab, dass die Reaktionen nicht ausfallen wie gewünscht. Stelle dir also mal ganz bewusst die Frage, welche Möglichkeiten du hast. Natürlich kommen einige Berufe schlicht und ergreifend nicht infrage (Siehe das Beispiel mit der Feuerwehr). Aber im Großen und Ganzen sind wir in der Lage sehr, sehr viele Berufe auszuüben, die wir aktuell so gar nicht auf dem Schirm haben. Wie wäre es also, wenn dein Smartphone einen gehörigen Schrecken bekommt, weil du nicht Twitter, Tinder oder Youtube Music öffnest, sondern Google und da stöberst, welche Berufe es überhaupt gibt. Du kannst nach kreativen Berufen suchen, nach technischen (Ja, auch als junge Frau!), nach naturwissenschaftlichen, nach sprachwissenschaftlichen. Du kannst schauen, ob in deiner Nähe Geschäfte sind, die dich interessieren und in denen du gerne arbeiten würdest, du hast die Möglichkeit, darüber nachzudenken, ob du gerne Büroarbeiten tätigen würdest. Sei doch einfach einmal ganz frei und überlege dir, ob du eher einen körperlich anspruchsvollen oder eher einen ruhigeren Beruf ausführen würdest. Bist du gerne kreativ oder liebst du es, alles Mögliche zu ergründen und zu erforschen? Erstelle doch einfach einmal selbst ein Profil von dir. Was kannst du besonders gut? Wo liegen deine Interessen? Das sind die beiden Fragen, die du dabei hauptsächlich beantworten solltest. Du hast ebenfalls sowohl über das Internet, aber auch über

Berufsbildungszentren die Möglichkeit, ein Profil von dir erstellen zu lassen und zu überprüfen, welche Berufe dort hineinpassen. Das ist ein super Anhaltspunkt. Allerdings bedenke auch hierbei wieder, dass dabei nach deinen Vorkenntnissen, nach deinen Fähigkeiten und Ähnlichem gefragt wird und du dabei etwas Wichtiges beachten solltest, um wirklich gute Tipps zu bekommen: Wenn Maria die Frage gestellt bekommen hätte, wo sie ihre besondere Fähigkeit sieht und sie mit „Humor" geantwortet hätte, wäre mit großer Wahrscheinlichkeit NICHT der Beruf des Politikers erschienen. Versuche also unbedingt, bei solchen Tests dein wahres Ich zu beschreiben und nicht das Ich, das nach außen hin wahrgenommen wird. So hast du nämlich eine deutlich bessere Chance, etwas Passendes zu finden.

Wenn du eine ungefähre Ahnung hast, welche Berufe für dich in Zukunft infrage kämen, musst du checken, welche Voraussetzungen dafür nötig sind. Musst du ein Studium abschließen, siehst dich dazu jedoch nicht in der Lage, dann kann es eher schwierig werden. Suche in einem solchen Fall nach Alternativen. Nicht selten gibt es Ausbildungszweige, die eine Fachhochschulreife als Abschluss bieten, mit der du im entsprechenden Fachbereich dann doch studieren darfst. Nehmen wir als Beispiel den Sozialarbeiter, der zum Beispiel im Jugendamt, in der Heimarbeit oder als Streetworker arbeiten kann. Der einzige Weg zum Sozialarbeiter führt über ein Studium. Dieses Studium kann man jedoch nicht nur mit Abitur durchführen, sondern auch mit einer Fachhochschulreife, die man durch eine erfolgreich abgeschlossene Ausbildung zum Erzieher erwerben kann.

So kann es in manchen Berufen Mittel und Wege geben, wie man zum Ziel kommen kann, auch wenn das im ersten Moment wie ein unüberwindbares Hindernis erscheint. Natürlich musst du dir ebenso die Frage stellen, wo man die Berufsauswahl, die dich interessiert, erlernen kann. Musst du dafür umziehen, vielleicht sogar weit weg und bist du dazu bereit? Auch die Frage nach den finanziellen Möglichkeiten ist nicht zu vergessen. Für etliche praktische Ausbildungen gibt es ein Monatsgehalt, schulische Ausbildungen werden in der Regel nicht vergütet und private Ausbildungen oder das Studium muss man häufig bezahlen. Ist es möglich, die Wünsche, die du hast, finanziell umzusetzen? Falls nicht, musst du dir an dieser Stelle Gedanken machen, ob es Umwege gibt. Im Studium könntest du vielleicht nebenbei arbeiten gehen oder du hast sogar die Möglichkeit, auf ein Stipendium. Auch in schulischen Ausbildungen könntest du Hilfe durch den Staat (z.B. BAföG) beantragen. Es gibt wirklich nicht wenige Möglichkeiten, finanzielle Engpässe zu überbrücken. Leider sind sie häufig mit vielen verwirrenden Anträgen verbunden, aber auch hierfür kannst du dir Hilfe holen (z.B. beim Arbeitsamt oder bei Sozialverbänden).

Wenn du also eine Liste der Berufe, die du dir vorstellen könntest, erstellt und geprüft hast, ob diese in deinen finanziellen Rahmen und deine allgemeinen Möglichkeiten hineinpassen, dann lasse die Ideen erst einmal wachsen. Sei offen, was es noch so gibt und überprüfe immer wieder, ob du mit diesen Berufen irgendwo einen Treffer gelandet hast. Mache doch auch gerne freiwillige Praktika. Das klingt zwar im ersten Moment ziemlich hart - wer arbeitet denn schon freiwillig, wenn er frei haben könnte - aber es kann dich enorm weiterbringen, weil du die Chance bekommst, konkrete Einblicke in den Berufsalltag zu bekommen.

Vielleicht bist du aber auch in der Situation, dass dir einfach nichts einfällt, mit dem du dich dein Leben lang beschäftigen möchtest. Auch das ist in Ordnung! Du bist jung und musst wirklich noch lange genug arbeiten. Vielleicht möchtest du tatsächlich erst einmal jobben und hineinschnuppern, was es überhaupt so gibt. Vielleicht hast du schon seit Jahren den Traum, ein Jahr ins Ausland zu gehen, dort zu arbeiten und etwas zu erleben, bevor du dir hier etwas Festes suchst. Auch diese Türen stehen dir offen.

Am Ende dieses Kapitels gibt es keine Liste, in der die wichtigsten Punkte zusammengefasst sind, denn dafür sind die einzelnen Punkte zu ausführlich. Denke bei der möglichen Wahl deiner Zukunft unbedingt in erster Linie an das, was du möchtest - schließlich müssen weder deine Eltern deine berufliche Zukunft durchmachen, noch deine Freunde oder die Klassenkameraden, die über deinen Berufswunsch vielleicht überrascht wären. Natürlich dürfen alle, die an deiner Seite stehen, Vorschläge machen, dich unterstützen, dir von Dingen abraten oder überrascht die Augenbrauen hochziehen. Aber entscheiden kannst ganz alleine du. Sei also dir selbst gegenüber offen mit deinen Wünschen. Schließe nichts aus, weil du denkst, es könnte ein schlechtes Licht auf dich werfen, andere enttäuschen oder irgendwie nicht zu dir passen. Überprüfe ALLE Möglichkeiten, bevor du einen Berufswunsch oder eine anderweitige Zukunft doch wieder verwirfst.

Ein letzter Tipp an dieser Stelle. Es ist keine Schande, wenn wir uns unter dem Beruf, den wir anstreben, etwas anderes vorstellen als es dann in der Realität ist. Eine Ausbildung oder ein Studium abzubrechen oder den Beruf im Laufe des Lebens zu wechseln und eine neue Richtung einzuschlagen, wird vielleicht nicht unbedingt gerne gesehen. Auch die ungewöhnlichen Wege, wie früh Mutter zu werden und zuhause zu bleiben, erst einmal zu jobben und keine Ausbildung zu beginnen oder sich zuerst im kreativen Bereich zu verwirklichen, bevor man etwas Anderes beginnt, sind nicht die Wege, die uns von außen als das Non plus ultra dargestellt werden. Aber es sind und bleiben UNSERE Wege und UNSERE Entscheidungen – und alles ist besser als in einer Zukunft festzustecken, aus der wir scheinbar nicht herauskommen, obwohl wir sie so nicht wollen.

Kapitel 6

In eine neue Richtung

Unglaublich! Du hast einen ganzen Ratgeber durchgelesen. Und das, obwohl du in der Zeit so viele anderen Dinge hättest tun können. Überlege bloß einmal, wie viele Fotos du hättest twittern können und wie viele junge Männer du hättest wegswipen können. Und du hast es dennoch fertiggebracht, dieses Buch bis zum Schluss zu lesen. Vielleicht hast du dafür ein oder zwei Jahre gebraucht? Dann hättest du Glück gehabt, wenn jemand dir dieses Buch in weiser Voraussicht schon mit 14 geschenkt hätte, damit es jetzt überhaupt noch passt, nicht wahr?

Aber Spaß beiseite. Du hast eine Menge Dinge gelesen, die für dich vielleicht ganz neu waren. Vielleicht waren dir manche auch bekannt und es war nötig, sie noch einmal vor Augen zu haben. Möglicherweise war dir aber auch alles schon von Vornherein klar und du hast rein gar nichts erfahren, was dich weitergebracht hat. Wenn du das Buch dennoch bis hierhin durchgelesen hast, bist du offenbar extrem straight. Das wäre dann eine passende Eigenschaft für deine Berufswahl. Aber hatte ich nicht Spaß beiseite gesagt?

Ich hoffe, dass dieses Buch dir geholfen hat, einige Dinge für dich zu klären. Vielleicht hast du neues theoretisches Wissen hinzugewonnen wie im Kapitel mit deinen neuen Verantwortungen und deinen neuen Rechten, vielleicht lernst du noch einmal, die Dinge auch aus anderen Blickwinkeln zu betrachten, wenn du im Umgang mit deiner Familie bist. Du bist bewusst darauf gestoßen worden, zu überprüfen, wer wirklich deine Freunde sind und wer dir an deiner Seite tatsächlich guttut. Zusätzlich hast du noch einmal erlesen können, wo die Nutzung deines Smartphones Vorteile bringt, wo du aber auch das Leben an dir vorbeiziehen lässt, während deine Augen auf einem Bildschirm kleben. Erinnerst du dich daran, wie schnell der Wunsch nach einem schönen Aussehen in „Körperwahnsinn" umschlagen kann? Falls nicht, lies es doch gerne noch einmal nach. Und ganz am Schluss hast du einige Tipps bekommen, wie du am besten auswählen kannst, welche Zukunft zu dir passt.

Dennoch: Nicht jeder Tipp passt zu jedem Menschen. Manchmal heben wir uns in einigen Punkten so deutlich von Gleichaltrigen ab, dass wir uns völlig andere

Wege suchen müssen. Vielleicht bist auch du so ein Mensch und denkst: ‚Herrjemine, und was soll ICH jetzt damit anfangen?' Du musst nicht jeden Tipp annehmen - vor allem, wenn du spürst, dass sie so gar nicht zu dir passen. Ich bitte dich lediglich, offen für neue Möglichkeiten zu sein und bewusst nach dem zu suchen, was dir guttut. Denn in einer Gesellschaft, in der es hauptsächlich noch um Schnelligkeit und Effizienz geht, kommen wir meistens selbst zu kurz. Finde Wege, die zu dir passen und mit denen du dich wohlfühlst und fühle dich frei, wenn diese auch manchmal völlig unkonventionell sein mögen.

Sei offen für das, was um dich herum geschieht und lebe ein Leben, das dich zufriedenstellt - unter Berücksichtigung dessen, dass es dir auch WIRKLICH guttut (Zu viel Alkohol kann in diesem Moment für dich vielleicht ganz witzig sein. Generell wird es dich sicher nicht glücklich machen. Nur, um ein Beispiel zu nennen). Wenn du Vertrauenspersonen hast, lasse dir Tipps geben und überdenke, ob diese dich wirklich weiterbringen könnten, bevor du sie verwirfst oder blind befolgst.

Und natürlich ist auch dieses Buch keine Eintagsfliege. Du wirst immer wieder in ähnliche Situationen kommen, wie im Moment auch. Auch mit 30 kannst du noch Ärger mit Freunden, deinen Eltern oder einem Partner haben, auch dann könntest du dich beruflich umorientieren wollen. Sei dir also auch nicht zu schade, noch einmal nachzublättern, wenn du etwas brauchst, an dem du dich orientieren und langhangeln kannst. Dieses Buch wurde mit dem Wunsch geschrieben, aus unklaren oder unschönen Situationen und Zwickmühlen herauszuhelfen. Und das bleibt – ganz egal, wie alt du bist.

Und mit diesem Wunsch, der Hoffnung, dir den ein oder anderen Gedankenanstoß gegeben und das ein oder andere Lächeln abgerungen zu haben, wünsche ich dir eine wunderschöne, spannende, aufreibende und gleichermaßen erholsame Zeit des Erwachsenwerdens.

Printed in Poland
by Amazon Fulfillment
Poland Sp. z o.o., Wrocław

34845272R00049